Tentations
VOLUPTUEUSES

Recueil de nouvelles érotiques

Données de catalogage avant publication (Canada)

Lortie, Martin

    Tentations voluptueuses: recueil de nouvelles érotiques

    (Collection Érotisme)

    ISBN 2-7640-0728-0

1. Titre. II. Collection

PS8573.O769T46 2003   C843'.6   C2002-941892-5
PS9573.O769T46 2003
PQ3919.2.L67T46 2003

LES ÉDITIONS QUEBECOR
7, chemin Bates
Outremont (Québec)
H2V 4V7
Tél.: (514) 270-1746

©2003, Les Éditions Quebecor
Bibliothèque nationale du Québec
Bibliothèque nationale du Canada

Éditeur: Jacques Simard
Coordonnatrice de la production: Dianne Rioux
Conception de la couverture: Bernard Langlois
Illustration de la couverture: Valerie Simmons/Masterfile
Illustration intérieure: Julie Daviau
Révision: Sylvie Massariol
Correction d'épreuves: Jocelyne Cormier
Infographie: René Jacob, 15ᵉ Avenue infographie

Nous reconnaissons l'aide financière du gouvernement du Canada par l'entremise du Programme d'Aide au Développement de l'Industrie de l'Édition pour nos activités d'édition.

Gouvernement du Québec – Programme de crédit d'impôt pour l'édition de livres – Gestion SODEC.

Imprimé au Canada

Martin Lortie

Tentations
VOLUPTUEUSES

Recueil de nouvelles érotiques

LES ÉDITIONS
Quebecor
QUEBECOR MEDIA

Rêveries

Son déhanchement serein, digne du plus précis des mouvements de balancier, retint le premier mon regard admirateur. Lorsqu'elle marchait, des poils pubiens glissaient entre la culotte trop grande de son maillot et sa cuisse galbée. Je pouvais clairement observer une fine pellicule de sueur près de son entrejambe, entendre le doux bruissement de sa culotte de nylon sur sa peau satinée. Le sable brillant et doré de la plage s'insérait et collait entre ses petits orteils, ses talons rosés s'y enfonçaient, le soleil puissant faisait miroiter ses cheveux d'un noir presque bleu.

Le blanc transparent de son maillot révélait la marque ronde et sombre de ses aréoles, les pointes dures et agressives de ses mamelons. Ses mains délicates se posaient sur ses hanches rondes avec un air de défi et de triomphe arrogant. La largeur adorable de ses hanches, trahissant la naissance d'un enfant, ajoutait au charme et à la fascination exercés. J'aimais la façon dont sa culotte s'amincissait pour venir s'accrocher avec fragilité à sa taille, la manière qu'elle se nichait entre ses fesses humides de sueur, cherchant à tout prix un refuge dans cette vallée secrète qui étourdissait les sens.

Il ne pouvait y avoir une situation plus érotique que celle-là, à l'observer ainsi sous le chaud soleil du Mexique, à voir ses formes exquises onduler sous mes yeux ébahis et ravis.

J'éprouvais l'envie de lui arracher ce maillot pour le moins révélateur, de tirer sur cette culotte bien nichée dans ce chaud sanctuaire et qui, je le savais, rechignerait à quitter la moiteur de ses fesses pour mes mains impatientes. Si je le pouvais, je ferais choir ce maillot sur le sable pour caresser avec ardeur son corps luisant de sueur et d'huile de bronzage.

J'avais une envie folle de la pétrir de mes mains puissantes, de la mordre et de la lécher à ces endroits interdits, presque tabous. Je ressentais le besoin de l'entendre crier de toutes ses forces, de la voir se tordre sous mon corps, de la maintenir ainsi plaquée au sol, la réduisant à l'impuissance totale et à la soumission absolue.

Elle n'aurait d'autre choix que de me recevoir en elle, de laisser ma langue et mes mains parcourir inlassablement son corps glissant, tandis qu'elle se tortillerait à la fois pour témoigner de son plaisir, mais aussi pour se dégager.

Ce n'est qu'à ce moment qu'elle prendrait conscience de mon désir violent et passionné pour elle, un désir dévorant pour celle que je voulais tant dévorer. Cette façon dont elle me regardait, ce délicieux sous-entendu dans ses yeux et cette grimace hautaine me bouleversaient, cela elle le savait trop bien.

Sa démarche languissante captait et emprisonnait jalousement les regards des pauvres hommes qui y succombaient. Ses pieds si menus creusaient des empreintes tout aussi fragiles sur la vase de l'océan et lorsqu'elle se penchait pour ramasser un coquillage, ses seins fiers et qui ne demandaient qu'à être cajolés se balançaient fermement au grand plaisir de mes yeux. Insolents, ils menaçaient de fuir la protection de ce maillot et de se libérer au grand soleil, sollicitant ainsi ses caresses.

Ses cheveux bleutés voilaient son œil rusé, balayés par la caresse du vent. Son petit nez retroussé bravait le monde entier, et je n'y faisais pas exception. Mes yeux glissaient inévitablement le long de son cou élancé pour ne s'arrêter qu'au creux de ses reins, puis sur ses fesses provocantes d'érotisme.

Je n'en pouvais plus d'attendre et je décidai d'actualiser mes pensées, de la prendre ici et sur-le-champ. La plage déserte me le permettait, ses jambes bronzées et invitantes me l'ordonnaient, ses seins orgueilleux appelaient ma bouche à grands cris. Et puis, c'était ma femme, après tout.

Noah

Ceux qui ont déjà emménagé dans une maison neuve savent très bien tout le travail que cela implique. Nous avons, en effet, fort à faire mais, heureusement, nos amis offrent leur aide, que nous acceptons avec empressement. Oui, heureusement qu'il y a les amis!

C'est précisément ce que je me dis alors que je regarde les trois hommes dérouler les rouleaux de tourbe par cet après-midi torride. Dans le ciel sans nuage, le soleil semble vouloir prendre sa revanche sur l'hiver, qui a été long et neigeux.

Je suis assise sur la terrasse; c'est la première fin de semaine que je peux ainsi me détendre et regarder les hommes travailler. Et quel spectacle! J'assiste aux efforts de mon mari et de deux amis, torses nus, alors qu'ils s'agenouillent pour garnir notre terrain de gazon d'un vert luxuriant.

Parfois, ils passent intentionnellement sous le jet oscillant des arrosoirs, dispersés sur le terrain pour imbiber la nouvelle pelouse. L'eau ruisselle sur leur peau, mouille leurs jeans maculés de terre noire. Il n'y a pas meilleur spectacle que de regarder les muscles se bander lorsqu'ils soulèvent les rouleaux, leurs pieds chaussés de bottes de travail que je trouve infiniment sexy.

Périodiquement, je leur apporte de l'eau. Deux d'entre eux, dont mon mari, ont la peau blanche comme la neige, mais le troisième, le nouveau copain de mon amie Sonia, a ce teint parfait et basané, en plus d'afficher un tonus musculaire emballant. Il arbore une boucle d'oreille à gauche et un tout petit tatouage apparaît au-dessus de son mamelon droit. Une fleur, je crois, car je ne veux pas que mes yeux s'attardent sur ses pectoraux musclés. Son torse nu a quelque chose d'érotique qui me trouble. Et si ce n'était de ses yeux ardents, très noirs, peut-être arriverais-je à le dévisager.

Pour l'instant, je les regarde tous les trois, et plus particulièrement lui. Noah, qu'il s'appelle. Je les regarde blaguer ensemble, suer ensemble, et pour me rafraîchir un peu, j'appuie sur mon front mon verre de limonade rempli de glace.

 oȶo oȶo oȶo

Il est près de seize heures lorsqu'ils terminent de compresser la nouvelle tourbe. Mon mari et son ami longiligne Xavier s'arc-boutent sur le rouleau de métal pour le hisser dans le coffre de la voiture. L'outil de location doit être retourné avant dix-sept heures.

Tandis que la voiture s'éloigne avec les deux hommes, je vois Noah se diriger vers l'un des arrosoirs, qu'il débranche pour asperger ses mains rendues noires par la terre. Je me dépêche de remplir un verre d'eau et je le lui apporte. Je suis pieds nus, le gazon est très imbibé. Son torse est couvert de terre, son jeans aussi et à cette couche noire se mêle la sueur qui coule sur sa poitrine.

– Il y a une sortie d'eau dans le garage. Si tu veux te laver... lui dis-je.

– Bonne idée! répond-il.

Il a des dents très blanches, des lèvres sensuelles, et je pense aussitôt qu'il faut que je demande à Sonia s'il embrasse bien. Avec une bouche pareille, sans aucun doute! Il se dirige vers le garage et je le suis. La porte arrière est ouverte.

— Il y a de l'eau chaude, si tu veux. Une fois que tu auras enlevé le plus gros, tu pourras utiliser notre douche...

Il me sourit et je me sens fondre. Merde! où a-t-elle trouvé ce mec?

— Je ne veux pas salir, admet-il. Je pense que je vais la prendre ici, si ça ne te dérange pas. Si je pouvais juste avoir un savon.

Mon cœur bat à tout rompre comme je rentre dans la maison pour lui rapporter un pain de savon et une grande serviette. Il en profite pour prendre des vêtements de rechange dans sa voiture.

— Je vais laisser la porte ouverte pour que tu y voies quelque chose. On a coupé le courant dans la boîte électrique.

Il hoche la tête et je sors dans la cour. Je marche un peu sur le terrain et j'entends le chuintement du boyau d'arrosage en provenance du garage. Je replace les arrosoirs pour bien couvrir toute la superficie et lorsque le chuintement se tait quelques minutes plus tard, je reviens vers le garage, convaincue qu'il a terminé l'opération de nettoyage.

Mais je m'arrête brusquement juste avant d'entrer. Noah est au centre, le corps nu tout mousseux de savon, sauf à l'arrière. Je vois donc ses fesses rondes, au teint hâlé, et ses jambes puissantes. Il me tourne le dos et ne sait donc pas que je le vois. J'en profite pour bien le regarder. J'en ai des papillons partout dans l'estomac.

Je m'apprête à tourner les talons, mais Noah pivote et m'aperçoit. Je vire au rouge écarlate, j'ai l'air d'une voyeuse surprise sur le fait. Mais, bon sang, ce qu'il a un beau corps! Lui ne semble pas s'offusquer de la situation. Je dirais même qu'il apprécie que je le regarde. Moi, tout habillée, et lui, nu comme un ver!

— Je... dis-je maladroitement pour essayer de m'expliquer.

Noah pivote juste assez pour que j'aperçoive le profil de sa silhouette, puis son pénis couvert de savon. Le renflement de la mousse exhibe un organe dont il peut être très fier. Et je peux même constater qu'il est circoncis. Mes yeux s'attardent un peu trop longuement sur sa queue et je les relève subitement.

Mais lui sourit. Un sourire ravageur, qui me fait fondre plus vite que le soleil. Il me tend la barre de savon et je ne peux croire que je m'avance lentement pour la prendre. Nos doigts se touchent, je manque de défaillir. Je suis tout près de lui. Il émane de ce gars un érotisme à fleur de peau. Ses épaules musculeuses, carrées, lui rendent un air puissant.

Il se retourne de nouveau et je comprends qu'il aimerait que je lui frictionne le dos. Il fait si chaud, je suis en sueur, mais je sais aussi que je suis mouillée. À fond. Ma pauvre culotte n'est plus qu'une éponge qui absorbe mon désir fulgurant. Oui, je suis mouillée au maximum. Et je ne devrais pas.

Je frotte donc ses épaules admirables, je sens ses muscles durs sous mes doigts. Je poursuis avec son dos, puis j'attaque ses flancs. J'hésite un peu, mais je descends finalement sur ses reins. Son dos est lisse, musculeux comme le reste de son corps, et je presse un peu mes mains, comme si je voulais lui faire un massage.

Je veux dire quelque chose, mais je ne sais pas quoi. La porte est toujours ouverte, le soleil entre dans le garage, mais son corps nu reste dans l'ombre. Sur mon t-shirt s'impriment les cernes excités de mes mamelons. Pourvu qu'il ne voie pas ça!

Le cœur battant et le souffle court, je m'accroupis pour savonner ses cuisses. Je détourne un peu la tête, car j'ai le visage à la hauteur de ses fesses. Des belles fesses, très rondes. Elles ont l'air très fermes. De vrais pains de fesse, dorés à souhait. Mais alors que je frictionne ses mollets, très durs aussi, je regarde, je ne peux faire autrement. Et entre ses fesses superbes, j'aperçois ses testicules rasés, fermes... Je suis hypnotisée. J'ai le nez à peine à quelques centimètres de ses fesses, de sa verge qui pend devant, pas tout à fait inerte. Elle a déjà amorcé son ascension. Son gland est plus large que la verge, aux arêtes bien dessinées, et il doit procurer des sensations incroyables. Noah est excité lui aussi et il ne peut me le cacher.

À ce stade, c'est clair que je ne pense plus. Je reprends la barre de savon, je la frictionne vigoureusement entre mes mains, assez pour la faire mousser. Les doigts légèrement tremblants, je pose mes mains sur ses fesses, que je savonne allègrement. J'y plante même un peu mes ongles, comme pour récurer la saleté tenace. Je me rapproche encore, je suis presque collée sur lui. Son magnétisme m'emballe, et je redouble d'ardeur sur ses fesses parfaites.

Puis, un brin hésitante, je faufile très lentement ma main entre ses cuisses. Il écarte un peu les jambes et mes doigts mousseux glissent sur son anus, avant de filer devant. Je touche d'abord ses testicules du bout des doigts, avant de les prendre bien en main. Je saisis ses bourses et je les brasse comme des dés à jouer. Ses testicules deviennent glissants, savonneux et je les comprime doucement dans ma main.

Noah lance ses mains derrière et m'enlace par les épaules. Je me lève et me presse contre lui. Je l'embrasse tendrement dans le cou, derrière l'oreille. Il se retourne enfin, ses yeux vicieux me scrutent sans vergogne. Il est en complète érection. Son pénis est beau, lisse, très droit. Je le savonne aussi, de haut en bas, et je le serre fort entre mes doigts. Il est gros aussi, une vraie queue d'homme, que je masturbe maintenant la main pleine de savon.

Noah est tout mousseux, tout excitant. Le soleil frappe maintenant nos corps de plein fouet. Noah tire fiévreusement sur mon t-shirt et je lève les bras pour l'aider à le passer au-dessus de ma tête. Mes mamelons pointent férocement à travers mon soutien-gorge de dentelle. Sans me l'enlever, il repousse les bonnets. Ses ongles éraflent ma peau de pêche et mes seins surgissent abruptement devant son visage.

Il approche sa bouche de la mienne, sans toutefois me toucher. Je sens son haleine sur mon visage. Elle sent bon, quelque chose de frais. Il devait mâcher de la gomme à la menthe, quelque chose du genre. Incapable d'endurer le suspense, c'est moi qui colle mes lèvres aux siennes. Sa bouche s'entrouvre et je sens sa langue pointer sur la mienne. Affolée, je pars à l'exploration de sa bouche fraîche et accueillante.

Mon compagnon de jeu embrasse mieux que bien! Sa langue est ratoureuse, vraiment exquise. Ses lèvres pleines couvrent toute ma bouche et caressent mes lèvres, plus minces. Je gémis alors que sa langue me procure toutes sortes de sensations. Je me plaque contre lui, contre son corps mousseux et ruisselant. J'insère une cuisse entre les siennes, je frotte ma jambe contre ses testicules. Mon désir est foudroyant, sans avertissement, et je m'abandonne dans ses bras pour m'enrober dans leur chaleur.

Noah me repousse gentiment vers l'établi et je me laisse guider. Comme il me hisse sur le plateau, mes seins tendus se retrouvent à la hauteur de son visage. Je sens sa respiration chaude sur mes mamelons. Toute tremblante, je frémis d'anticipation. Lorsque Noah les prend finalement dans sa bouche, je les pousse plus loin, je veux qu'il les dévore en entier.

Il serre mes seins ensemble; j'ai l'impression qu'ils sont emprisonnés dans un étau tellement ses mains sont fortes. Noah suce mes deux mamelons à la fois, puis il les mange comme s'ils étaient une nourriture de survie. Ses dents égratignent mes pointes sensibles. Lorsqu'il les aspire dans sa grande bouche, je me tends comme une perche.

J'allonge la main derrière et, à tâtons, je défais quelques agrafes de mon soutien-gorge, qui reste attaché autour de mon buste. Je mets les talons sur l'établi et je me laisse aller, savourant sa bouche savante sur mes seins en pâmoison. Sa langue vole sur ma peau. Noah soulève mon buste pour me lécher dessous, avant de revenir inévitablement téter mes mamelons. Il a une bouche sensationnelle, qui ravit mes seins sensibles. Il déboutonne ensuite mon short et je lève les fesses pour qu'il me le retire. Il l'envoie avec ses vêtements, par terre, et se penche pour prendre le boyau qui gît sur le sol. L'eau tiède s'en échappe encore et il la déverse sur moi, sur mes seins, mon ventre. L'eau ruisselle dans mon cou, jusque dans mon entrejambe.

Avec la barre de savon, Noah caresse mon corps, sous mes bras, sous mes seins. Ses mains sont glissantes et il les promène partout sur ma peau brûlante. Il lave mes orteils, mes jambes, le pli de mes genoux. Je suis assise sur l'établi, l'air hagard, et j'ai juste hâte qu'il aille plus loin.

Il frotte la barre par-dessus ma culotte et là, je monte au plafond. Il presse le savon contre mes lèvres et j'ouvre les jambes pour qu'il l'insère en moi. Mais la culotte l'en empêche. Noah tire sur le tissu et la bande de coton pénètre entre mes lèvres, exerçant une friction sur mon clitoris. En saisissant l'élastique devant et derrière, Noah impose un mouvement de va-et-vient à ma culotte, qui frotte à la fois sur mon clitoris et mon anus. Je gémis, les dents serrées, soumise à ses caresses originales.

Puis, il faufile le savon sous le tissu de la culotte et je sens son contact onctueux sur ma vulve. Avec deux doigts seulement, Noah m'enlève mon sous-vêtement et le laisse tomber sur le sol mouillé. Je sens le contact rude du bois de l'établi sur mes fesses nues.

Noah continue de me laver. Il masse mon clitoris de ses doigts lubrifiés par le savon. Il utilise ensuite le boyau et le jet frappe directement ma vulve. À genoux, il vient boire l'eau qui s'échappe à flots de mon vagin ravi. Sa langue lape ma cerise et je gémis encore. Toute sa bouche caresse mes lèvres, passionnée comme elle l'était dans ma bouche quelques minutes plus tôt. Il enfouit tout son visage en moi, je sens son nez qui me pénètre et le boyau qui continue de couler abondamment sur mes cuisses. Son visage disparaît dans ma toison foncée et frisée, maintenant détrempée par l'eau et mon propre jus.

Puis Noah jette le boyau de côté et il me prend dans ses bras, sans mal, comme un sac de plumes. Je sens ses muscles tendus contre moi, je palpe ses épaules carrées, sa nuque bandée, que je mordille à plusieurs endroits. Je pousse un petit cri lorsque je constate qu'il m'amène dehors, nos deux corps nus soudés. Il me dépose sur la pelouse fraîchement posée, près de la maison où on ne peut nous apercevoir sans faire preuve d'indiscrétion. Il y a toujours un risque, et cette perspective m'excite encore plus.

Le contact froid de la pelouse gorgée d'eau me fait tressaillir, mais Noah plaque rapidement contre moi son corps brûlant. Le soleil m'éblouit, le gazon sent très bon et mon corps est à demi immergé dans l'eau. Aussitôt qu'il est sur moi, Noah me pénètre et sans attendre, je me mets à onduler des hanches. Sa taille est parfaite, il se fond en moi comme par habitude. Nos corps forment une parfaite harmonie. Il s'appuie sur ses mains et tandis qu'il me fait l'amour, il me dévisage tendrement. Je pose mes mains sur ses fesses, qui se bandent chaque fois qu'il s'enfonce langoureusement en moi.

J'ai encore du savon sur les seins et il le lèche doucement, la pointe de sa langue titillant mes mamelons. Je noue mes jambes autour de sa taille, je bouge avec lui, épousant ses mouvements. Par intermittence, l'arrosoir oscille vers nous et nous asperge d'une eau glaciale qui gicle sur nos corps nus.

L'eau ruisselle de son visage et s'abat sur ma poitrine, faisant encore plus durcir mes mamelons. Mon regard se perd dans le sien et dans le ciel bleu azur, tandis que j'ouvre bien grandes les jambes pour mon cavalier. Ses mouvements sont fluides, il glisse si bien dans mon vagin excité. Lorsqu'il jouit, il se blottit contre moi. Il pose sa bouche sur la mienne et nous nous embrassons avec une passion féroce. Je n'ai pas assez de lui, j'aimerais rentrer en lui, me fondre dans son être. Il me communique sa jouissance avec sa langue, avec toute sa bouche, et je sens ses pulsations tandis qu'il vient longtemps en moi.

Mais Noah ne s'arrête pas pour autant. Il poursuit ses mouvements fiévreux, je suis près de l'orgasme. La jouissance monte en moi comme un volcan sur le point d'exploser. Je me retourne pour être sur le dessus. Le vent caresse ma peau nue. J'oscille énergiquement le bassin, je frotte mon clitoris sur son pubis, tandis que sa queue va et vient en moi, toujours aussi dure.

Je me mords la lèvre pour ne pas alerter l'entourage. Que penserait-on de la nouvelle voisine? Je me crispe, je serre ses pectoraux dans mes petites mains alors que la jouissance devient aiguë. Lui me fixe dans les yeux, il m'encourage à jouir de tout mon être. L'orgasme frappe avec la force d'une tornade. Il me secoue au moment où le jet d'eau nous surplombe de son averse. Je renverse la tête, l'eau crépite sur mon visage, tandis que je suis assise sur le pénis de Noah.

L'orgasme dure plusieurs secondes pendant lesquelles j'ai conscience seulement de sa queue en moi, de ses mains possessives sur mes seins, du gazon mouillé sur mes jambes et du soleil ardent sur ma peau constellée d'eau. Je jouis et l'orgasme explose dans mon ventre, dans ma tête, au point où je ne peux retenir un petit sanglot, que j'étouffe en embrassant Noah à pleine bouche. L'orgasme est violent, il me désoriente et je me laisse choir sur le torse musclé de mon partenaire.

Nous restons ainsi prostrés durant quelques minutes. Puis, je renonce à regret à ma position de cavalière. La queue de Noah, encore bien dure, quitte mon vagin et je regarde longuement son gland protubérant. Rapidement, nous reprenons notre douche ensemble dans le garage, en utilisant ce qui reste du savon. Je savoure encore ses mains sur moi. Elles sont fouineuses, et il ne laisse aucune partie de mon corps sans mousse savonneuse.

Les doigts de Noah sont fantastiques. Il sait juste où appuyer pour me faire planer. Il me rince ensuite avec le boyau et le faufile entre mes jambes. Je serre les cuisses dessus, puis je cours me rhabiller à l'intérieur, tandis que Noah fait de même dans le garage.

Lorsque les deux hommes reviennent, j'ai repris ma position sur la terrasse, un verre de limonade à la main. Je sens

bon le savon et un sourire béat anime mon visage. Noah ins-
pecte la nouvelle tourbe qui brille intensément sous le soleil.
Malgré la distance qui nous sépare, je discerne ses yeux tout
noirs, qui traduisent à quel point il aime rendre service à ses
amis.

Nuit d'été

Au troisième étage de l'immeuble, un carré de lumière apparaît à une fenêtre. À deux heures du matin, il s'agit là de la seule lumière présente dans le quartier, en cette nuit du dimanche. Une grande fébrilité règne dans le logement surchauffé par la canicule.

– Est-ce qu'on apporte une couverture? interroge la jeune femme en repoussant derrière son oreille une mèche de ses cheveux d'un brun presque noir.

Maxime Dion, qui revêt son bermuda, suspend son geste pour la regarder. Elle ne cesse de l'éblouir et de le charmer. Elle paraît si menue dans cette camisole qu'il affectionne particulièrement.

– Non. Apportons le strict minimum. Nous-mêmes et nos vêtements. Ça devrait amplement nous suffire, fait-il d'un ton badin.

Elle lui sourit de ce sourire contagieux qui efface tout, qui colore la vie de tous les jours.

– Tu es prête? sonde-t-il à la manière d'un grand explorateur qui part pour une dangereuse aventure.

Dominique Boily se contente de hocher la tête avant de chausser ses sandales. Maxime se surprend à sourire en la ant faire. Il aime qu'elle porte ses sandales, car elles mettent en valeur ses pieds mignons.

Ils quittent leur logement torride pour s'enfoncer dans la nuit. Ils s'engouffrent dans la voiture, une toile de détermination peinte sur leurs visages. Le trajet est difficile à supporter, sans doute en raison de la nervosité qui les gagne. Ils brûlent d'anticipation et d'excitation. Ils ne peuvent s'empêcher d'esquisser un sourire complice en s'examinant à la dérobée.

Le trajet qui paraît s'éterniser ne dure en fait qu'une dizaine de minutes. La voiture quitte l'autoroute pour parcourir les derniers mètres.

– Tout semble calme, remarque Dominique, comme si elle en était surprise.

Le ton de sa voix trahit sa nervosité, mais il indique aussi sa détermination. Maxime gare la voiture sur la voie d'évitement, constituée de gravier et d'herbes folles. Alors qu'il s'apprête à sortir de l'auto, Dominique lui serre brièvement la main. Ils ont tous deux les mains moites, comme le reste de leurs corps. La nuit croule sous l'humidité et la chaleur.

Maxime sent un filet de sueur couler sous son nez, juste au-dessus de sa lèvre supérieure. Il se demande si Dominique est aussi fiévreuse de passion et de désir. Il se demande si sa peau est aussi moite que la sienne, si elle sent l'intérieur des cuisses lui brûler, si elle ressent des frétillements dans l'estomac, si elle a autant envie de lui que lui a envie d'elle. Il se penche vers elle et lui vole un baiser.

– Allons-y, murmure-t-il d'une voix mal assurée.

Ils sortent en silence dans la nuit. Ils peuvent percevoir au loin cette clameur nettement reconnaissable qui brise le calme plat des ténèbres. Maxime croit également entendre les battements de son cœur ainsi que ceux de Dominique.

Ils n'ont pu trouver le sommeil plus tôt, suffoquant de chaleur, et ont conclu que c'était cette nuit ou jamais. Ils se sont donc levés, un peu anxieux, pour en arriver là où ils en sont maintenant. Ils entretiennent cette idée depuis un certain temps déjà, mais ils n'ont jamais pu rassembler suffisamment de courage pour la réaliser. Pas avant cette nuit.

Maxime escalade puis saute le premier la clôture de métal qui encercle le site. Dominique doit raffermir soigneusement son emprise sur le grillage avant de l'imiter et d'atterrir à ses côtés, sur la pelouse. Dans l'opération, elle s'égratigne légèrement la cuisse sur l'une des pointes acérées de la clôture, mais elle ne paraît pas le remarquer. Maxime lui administre une petite tape sur la fesse en guise d'affection.

Ils empruntent, avec maintes précautions pour ne pas être repérés par le gardien de nuit, le chemin qui longe le majestueux manoir avant d'aboutir au pont qui enjambe la chute. Ils se sentent excités, presque affolés de se faufiler ainsi derrière les arbres, à chercher leur protection pour mieux se fondre dans le paysage sombre de la nuit. Et sachant ce qui les attend au bout de ce périple, ils n'en sont que plus excités. Ils ne disent mot, n'en ont nul besoin d'ailleurs. Ils sont commandés par le même désir, excités par la même envie, guidés par leur amour.

De la sueur perle aux tempes de Maxime, alors que la peau de Dominique devient moite et luisante. Il meurt d'envie de la caresser, de laisser ses mains glisser sur sa peau de velours, d'explorer les courbes délicieuses de son corps, le creux prononcé de ses reins.

Ils s'immobilisent complètement au seuil du pont et s'abritent derrière les imposants piliers de pierre datant de plus de cent cinquante ans. Ces piliers, ce sont les derniers vestiges de l'ancien pont suspendu, qui n'a malheureusement résisté que quelques jours, emportant trois vies avec lui dans les eaux agitées.

— Reprenons un peu notre souffle. Il faudra traverser le pont à la course, halète Maxime.

Le pont dans son entière longueur est en effet suffisamment éclairé pour que le deuxième gardien de nuit, présent dans le chalet au pied de la chute, les aperçoive lors de leur traversée.

À l'endroit où ils se reposent, le son de la chute est assourdissant et ils doivent hausser la voix pour espérer se faire entendre. Dominique porte la main au bermuda de Maxime, puis elle masse délicatement son érection avant de refermer les doigts autour de son pénis. Elle lui offre l'un de ses sourires complices qu'il connaît bien et lui glisse quelques mots douillets à l'oreille.

– Ça va être si bon! Allons-y, je ne peux plus attendre, termine-t-elle sur un gémissement plaintif.

Maxime lui rend son sourire puis, sans avertissement, s'élance à toute allure sur le pont. Il entend moins l'écho des petits pas de Dominique derrière lui qu'il sent le pont osciller sous l'assaut de leurs efforts conjugués. La traversée leur paraît interminable, comme si les piliers sur l'autre rive s'éloignaient à chaque pas qu'ils font. Mais le tout ne dure en réalité que quelques secondes.

Une fois le pont franchi, ils s'abritent derrière une série d'arbres, afin d'observer tout mouvement en provenance des deux postes de garde qui pourrait traduire leur découverte. Mais rien ne bouge; la nuit demeure toujours aussi calme, aussi immobile, à part le fracas étourdissant de la chute. Tout se passe bien, un peu à leur surprise. Plus qu'un seul obstacle à franchir.

– Il ne nous reste que l'escalier à descendre. Ce sera probablement l'étape la plus difficile.

Dominique acquiesce silencieusement, réfrénant un commentaire.

– Quoi?, demande Maxime, qui sent son hésitation.

– Combien y a-t-il de marches déjà?

– Cinq cents.

– Juste assez pour nous réchauffer alors.

Ils sont déjà transis de sueur, leurs vêtements collent à leur peau. Quelques mèches de cheveux de Dominique bouclent aux extrémités. Cela ne la rend que plus attirante encore.

– Je suis prête, allons-y! dit-elle à nouveau.

Ils peuvent courir aisément sur le sentier de gravillons qui mène à l'escalier. Personne ne peut les observer de ce côté de la chute, si ce n'est les animaux qui s'adonnent à leur balade nocturne. Ils suspendent leur progression à l'embouchure de l'escalier, à la fois pour reprendre leur souffle et pour contempler le panorama qui s'étend jusqu'à l'île d'Orléans. Ils se trouvent dans le kiosque surplombant la première série de marches qu'ils vont devoir descendre pour atteindre leur destination finale.

Entre deux profondes respirations, ils s'embrassent tendrement, puis passionnément. Leurs regards se tournent simultanément vers les berges de la chute. La scène spectaculaire et grandiose a quelque chose d'insolite en pleine nuit, surtout que tous deux savent très bien ce qui s'y déroulera bientôt.

– Descendons vite! lance Maxime en posant ses mains sur les hanches de Dominique.

À demi accroupis, dans l'espoir de se soustraire à la surveillance des gardiens de nuit, ils se mettent donc à dégringoler le long escalier. Mais chacun sait qu'ils vont s'en tirer, qu'ils pourront faire ce pour quoi ils sont venus à cette heure tardive de la nuit. Ils se sentent tout à coup invulnérables et cela ne leur fait qu'accélérer encore un peu plus l'allure. Ils ne font aucune pause et descendent donc l'escalier d'un trait.

Ils ne s'arrêtent qu'une fois parvenus à la dernière marche, sur laquelle ils s'assoient quelques instants. Une fine bruine flotte dans l'air et leur apporte un peu de fraîcheur. Malgré la pénombre, Maxime distingue très bien le cerne des aréoles de Dominique à travers la camisole, ses pointes dures qui tendent le tissu blanc. Elle a omis de mettre un soutien-gorge, par souci de rapidité mais aussi et, surtout, il le sait, pour l'exciter davantage. Il doit admettre qu'elle a très bien réussi à le séduire. Il adore ses seins et il a le sentiment de ne pas le lui dire assez souvent. À chaque respiration qu'elle prend, sa poitrine gonfle le tissu de la camisole, attirant encore une fois le regard admiratif de son compagnon. Ils n'ont pas besoin de parler, elle a surpris son regard baladeur... Un masque de plaisir couvre furtivement son visage. Elle sait ce qu'il pense, ce qu'il veut. Et elle le désire aussi.

Ils se relèvent et se dirigent vers le remblai de béton délimitant la galerie d'observation. Ils l'enjambent et sautent sur la rive sablonneuse. La bruine devient de plus en plus dense, de plus en plus fraîche. Ce contact sur leur peau brûlante les fait frémir. Ils s'approchent encore un peu plus de la chute et retracent facilement l'endroit qu'ils ont identifié lors de leur visite précédente de jour.

C'est un petit matelas naturel d'herbes sauvages couvert d'aiguilles de sapin et d'un peu de mousse verdâtre formée par l'humidité. L'endroit est constamment arrosé de bruine en provenance de la chute. Des arbres matures fournissent un peu d'ombre au couple et les couvrent de leurs bras protecteurs. Ils se croient dans un havre de paix qui dégage au surplus une divine odeur de fraîcheur et de végétation.

Il ne faut que quelques secondes pour que leurs vêtements soient trempés, pour que leurs cheveux leur collent au visage. Ils s'agenouillent sur la mousse spongieuse, ils en sont enfin arrivés au point culminant de cette nuit torride. Dominique embrasse brièvement Maxime et glisse les mains sous son t-shirt pour le lui enlever.

– Non, toi d'abord. Je veux te regarder, fait-il en bloquant son geste, le rugissement de la chute couvrant presque complètement sa voix.

Elle sourit puis se lève, avant de reculer de quelques pas. Il lève les yeux pour la regarder, partiellement aveuglé par la bruine qui flotte dans l'air et coule sur son visage. Dominique

commence par se déchausser puis, d'un mouvement délibé-
rément lent, elle fait passer sa camisole au-dessus de sa tête.
Ses seins fiers se libèrent de l'emprise du vêtement. Ses
mamelons sont déjà gonflés, prêts à être mangés. Ses épaules
luisent à la lueur timide des projecteurs de la chute et de la
lune qui filtre à travers le couvert dense des arbres.

Dominique reste immobile un moment, laissant à Maxime
le loisir d'admirer le spectacle de ses seins nus, puis d'un
mouvement plus rapide, elle fait glisser son short autour de
ses chevilles. Elle se débarrasse finalement de sa culotte,
qu'elle lance d'un geste désinvolte dans la chute. La culotte
se fond rapidement dans l'écume formée par l'agitation fébrile de l'eau.

Tout son corps dégouline de cette même eau et cela a
pour effet de découper ses courbes harmonieuses et sa féminité. La fraîcheur de la bruine la fait d'abord frissonner. Les
pointes de ses seins se dressent, sa peau se couvre de chair de
poule, mais elle se sent bientôt revigorée par le contact apai-
sant de l'eau sur son corps. Dominique s'approche de Maxime,
toujours à genoux, et vient presser sa vulve contre ses lèvres.
De fines gouttelettes perlent sur les poils abondants de son
pubis.

Maxime hume sa fente, ses poils pubiens mouillés collent
à son visage, les lèvres douces de sa vulve caressent les siennes.
Il ne peut s'empêcher de glisser légèrement sa langue vers
l'ouverture, mais Dominique recule pour l'en empêcher.

– Non, c'est à ton tour maintenant.

Ils échangent leurs positions et Dominique se retrouve
assise, alors que Maxime se relève. Elle sent sous ses fesses le
contact moelleux de la mousse sur sa peau. Elle éprouve un
sentiment étrange à se trouver ainsi nue, en pleine nature. Le
contact de l'air, de l'eau qui coule sur sa vulve, s'y infiltrant
par le fait même, la fait frissonner de plaisir. Ses seins libres
contribuent à accentuer ce sentiment d'abandon exquis. Des
papillons s'agitent dans son ventre et descendent jusqu'à sa
vulve.

Dominique en est à se demander si elle ne parviendra pas à l'orgasme seulement qu'en fermant les yeux et en savourant ce contact intime de son corps avec la nature. Elle a envie de se rouler dans la terre et dans l'herbe, pour approfondir ce contact privilégié qui la bouleverse, pour sentir l'herbe lui chatouiller les cuisses, pour sentir la terre coller à ses fesses.

Mais Maxime retient maintenant son attention. Elle a hâte de le contempler dans sa nudité, d'apprécier la vue de son corps solide auquel elle se livrera par la suite. Elle a hâte de constater s'il est déjà dur rien qu'à penser à elle, rien qu'à la regarder accroupie dans la mousse, insouciante de sa propre nudité.

Maxime enlève ses espadrilles, puis son bermuda. Il se débarrasse de son t-shirt et elle peut admirer ses muscles bandés, probablement d'excitation, ou peut-être aussi par la nervosité. Lorsqu'il se défait de son boxer, Dominique constate effectivement que son pénis est déjà gonflé. Elle éprouve aussitôt l'envie de le prendre dans sa main, de le sentir durcir au contact de ses doigts, de promener son index sur les testicules jusqu'à la fente des fesses.

Elle vient se blottir contre lui, s'agenouille et embrasse le bout de sa queue. Maxime la rejoint sur le sol. Son érection est maintenant si complète qu'elle en devient presque douloureuse. Dominique s'aperçoit de son trouble et lui glisse quelques mots à l'oreille.

– Faisons-le tout de suite, d'accord? propose-t-elle en massant son pénis.

Elle s'étend sur le dos et écarte largement les jambes, révélant le triangle sombre qui couvre sa vulve accueillante. Maxime s'agenouille entre ses cuisses, puis appuie son gland contre les lèvres frémissantes de sa vulve. Il fait mine de la pénétrer en exerçant une pression, mais il se retient. Dominique pose les mains sur les hanches de son partenaire pour lui indiquer qu'elle désire le sentir en elle, mais il reprend plutôt son manège à quelques reprises, insérant à peine sa queue dans l'orifice pour la ressortir aussitôt.

Il la sent prête, très ouverte. Elle tremble d'anticipation, ses seins arrogants pointent vers le ciel étoilé. Il ne peut se retenir davantage et lorsqu'il la pénètre enfin, sa vulve s'ouvre comme un fruit mûr, avalant entièrement sa queue rigide. Il sent la chaleur de Dominique l'envelopper, l'envahir, les petits muscles de sa vulve se contracter autour de sa queue.

Dominique halète et gémit en le sentant se mouvoir en elle. Il manœuvre lentement entre ses jambes, laissant presque complètement ressortir son pénis pour le replonger ensuite profondément. Ses testicules se pressent alors contre l'intérieur de ses cuisses. L'eau agit comme un lubrifiant sur son pénis, qui glisse facilement dans le vagin de Dominique. L'eau s'infiltre dans leurs yeux et ruisselle sur leurs corps, qui deviennent de plus en plus glissants.

Maxime penche la tête et prend un premier mamelon dans sa bouche, s'amusant à en caresser la pointe durcie avec sa langue. Ils s'embrassent ensuite, mêlant leur salive et l'eau de la chute. Les cheveux mouillés de Dominique dégagent un effluve enivrant, comme tout le reste de son corps. L'odeur de l'humidité se mêle à celle des sapins et de l'herbe, à celle plus forte de la mousse et à celle divine qui provient de la vulve de Dominique.

Maxime prend les jambes de sa partenaire et les replie sur sa poitrine, pressant ses cuisses contre son ventre. Elle adore cette position, les genoux remontés vers ses épaules, la vulve toute grande offerte. Maxime la pénètre de nouveau; il lui tient les mollets tandis qu'il accélère la cadence. Il lui embrasse les pieds, couverts en partie de brins d'herbe. Il caresse ses jambes du bout des doigts, qu'il faufile ensuite entre ses fesses pour masser tout doucement l'embouchure de sa vulve.

Dominique porte la main sur sa vulve aussi, juste pour sentir la friction du va-et-vient et caresser sa queue alors qu'il pompe en elle. Maxime repousse légèrement les jambes de Dominique, ce qui lui permet de la pénétrer encore plus profondément. Ses seins se retrouvent écrasés par ses genoux, maintenant complètement appuyés sur ses épaules. Elle se sent impudiquement écartée, comme si elle offrait au monde entier son intimité dans un air de défi. Elle adore ça.

Maxime lui tient puissamment les chevilles et l'emprisonne dans cette position révélatrice. Dominique s'abandonne et ferme les yeux, broyant dans ses mains des touffes d'herbe et des épines de sapin. Lorsqu'elle les rouvre enfin, c'est pour observer le ciel étoilé, alors que la queue de Maxime se démène en elle.

Ils changent une dernière fois de position, pour que le gland de Maxime atteigne les parois encore intouchées du vagin de Dominique. Elle se couche sur le flanc, puis remonte une jambe contre son ventre. Maxime s'agenouille et introduit sa verge entre ses cuisses. Un filet d'eau coule entre les fesses de Dominique, semblables à un fruit fendu. Elle se met à gémir et enfouit son visage dans l'herbe pour étouffer un cri lorsque la jouissance la secoue.

Tous ses muscles se tendent sous l'assaut sauvage de l'orgasme. Elle est pleinement consciente du caractère brut de la situation, ainsi couchée dans la nature, de l'herbe dans les cheveux et entre les jambes, collée à sa peau moite. Au moment où ses muscles se détendent, Maxime jouit à son tour. Elle sent le sperme chaud se répandre en elle comme Maxime s'affaisse sur son corps. Ils demeurent ainsi un bon moment, savourant le contact de l'autre. Maxime demeure en elle, il se sent trop bien pour se retirer.

Ils se rhabillent enfin. Le sous-vêtement de Dominique reste introuvable. Elle se demande où échouera sa culotte, si quelqu'un la découvrira, quelle histoire on y rattachera, si cette personne essaiera d'imaginer à qui elle appartient, à quoi ressemble sa propriétaire.

Leurs vêtements gorgés d'eau collent à leurs corps détrempés. Maxime et Dominique sont secoués de frissons. Ils se hâtent de reprendre leur chemin à sens inverse, en se souciant beaucoup moins des gardiens, conscients qu'ils ont bien accompli ce pour quoi ils sont venus.

Il leur faut un peu plus de temps pour retourner à la voiture… ils se sentent fatigués et courbaturés, mais ils ressentent une chaleur agréable, et cette dernière sensation l'emporte haut la main.

๛ ๛ ๛

Sur le chemin du retour, ils restent silencieux. Ils se tiennent étroitement la main, comme s'ils venaient d'inventer un nouveau moyen de communication. Une fois dans leur appartement, ils se débarrassent de leurs vêtements, puis se laissent tomber dans leur lit, encore tout mouillés. Les draps sont frais et sentent bon…

À la voir étendue nue ainsi à ses côtés, à voir la petite feuille d'érable collée sur sa cuisse près de sa vulve en guise d'invitation, Maxime sent le désir monter en lui. Dominique ressent exactement la même chose et elle se glisse sous lui d'un mouvement agile. Il s'agenouille au-dessus d'elle et la caresse avec son pénis de nouveau rigide, le promenant partout sur son corps. Il caresse ses mamelons avec son gland. Il effleure son ventre avec ses testicules ; il descend vers ses pieds et la retourne pour caresser ses fesses humides.

Puis, Maxime s'agenouille de part et d'autre du visage de Dominique et elle le prend dans sa bouche goulûment. Elle s'applique ensuite sur le gland, enrobant la base de sa queue d'une main; elle le suce bruyamment tout en le masturbant avec énergie. De l'autre main, elle serre ses testicules comme pour les broyer. Lorsqu'elle le sent se raidir un peu plus, elle délaisse une seconde son pénis pour le dévisager.

– Viens dans ma bouche, fait-elle d'une voix rauque, avant d'avaler sa verge de nouveau.

Elle augmente sa succion sur son gland jusqu'à ce que Maxime gémisse doucement. Il jouit en râlant et Dominique reconnaît le goût salé du sperme. Elle avale le chaud liquide, puis elle continue pendant de longues secondes à sucer et à lécher sa queue, qui perd graduellement de sa rigidité.

Elle se love contre Maxime et l'embrasse, échangeant avec lui la potion qu'elle garde dans sa bouche. Ils ne mettent pas long à s'endormir, leurs corps enlacés et moites soudés ensemble.

∞ ∞ ∞

Les rayons de soleil dardant par la fenêtre ouverte tirent Maxime de son sommeil au petit matin. Il étend le bras pour découvrir que Dominique n'est plus là. Il occupe seul le grand lit. Il se rappelle son rêve, celui où ils ont fait l'amour au pied des chutes Montmorency. Il devra en parler à Dominique… Peut-être pourraient-ils tenter l'expérience. Si ce n'est qu'à moitié aussi bon que dans son rêve, ils vivront l'extase.

Il lui faut plusieurs minutes pour se décider à prendre sa douche. Lorsqu'il quitte le confort des draps, c'est pour découvrir une constellation d'épines de sapin et d'herbes sauvages jonchant le blanc immaculé du tissu. Au pied du drap, des traces de mousse verte et de terre s'accumulent dans un témoignage muet.

Lorsque Maxime passe enfin à la salle de bain, il voit dans le miroir le grand sourire qui étire ses lèvres.

La mariée

Sandrine est nerveuse, malgré qu'elle se doute fort bien de ce qui l'attend. Depuis l'annonce de son mariage avec son conjoint, ses amies l'ont prévenue qu'elle aurait un enterrement de vie de fille mémorable.

Pas que son mariage soit un événement spectaculaire en soi… Elle est enceinte de deux mois et vit avec Nicolas depuis six ans. Ils ont également une petite fille âgée de quatre ans. Quoi qu'il en soit, la demande en mariage tardive de Nicolas doit être célébrée, elle en convient.

Sandrine est mal à l'aise à l'idée qu'elle doit se livrer en spectacle devant ses amies, alors qu'un danseur nu se produira sous ses yeux. Car elle est convaincue que c'est ce qui l'attend. Caroline a été la première à subir un tel sort; elle sera donc la deuxième du groupe.

La Honda s'immobilise devant la maison de Julie, réquisitionnée pour la soirée par le groupe de filles. Le mari de cette dernière a été prié de passer la nuit chez un ami. Tout le monde est déjà là. Sandrine reconnaît, entre autres, la Chevrolet de Catherine, la Audi de Caroline et l'immense camion que Marie conduit avec brio.

Les filles l'attendent dans le jardin à l'arrière de la maison. Le soleil descend lentement à l'horizon, clôturant cette merveilleuse journée de juillet. Catherine sort tout juste de la piscine, alors que Julie, Caroline et Marie dégustent tranquillement de la Sangria autour de la table du jardin. Toutes ont un drôle de sourire sur les lèvres, comme si elles étaient saoules.

Sandrine, déjà intriguée par le fait que le groupe est si restreint pour une telle occasion, se questionne encore plus devant l'attitude béate de ses amies. Son cœur pompe dans sa poitrine.

– Alors, Sandrine, es-tu prête? s'enquit Catherine en s'essuyant avec une serviette de plage.

– Oui... répond cette dernière, intriguée.

Julie lui offre un verre de Sangria, qu'elle sirote doucement.

– Ne t'en fais pas, on n'a pas fait venir de danseur, dit Marie à la blague. On te réserve quelque chose de bien mieux. Dépêche-toi de boire ton verre.

– Mon Dieu, ça presse! rétorque Sandrine, de plus en plus intriguée.

Elle avale son verre de Sangria en trois gorgées, ce qui lui fait un peu tourner la tête.

– Viens dans la maison, dit Julie en ouvrant la porte-fenêtre.

Les jeunes femmes se retrouvent toutes dans le salon parfumé et décoré pour l'occasion. Catherine remplit le verre de Sandrine.

– Nous avons pensé te préparer une soirée dont tu te souviendras longtemps. Imagine-toi que nous ne sommes pas seules. Dans chaque chambre de l'étage, et aussi dans celle du bas, se trouve un de tes anciens amants, explique Julie.

– Quoi?!

– Oui, madame! Et tu vas jouer à un petit jeu. Enfin, petit ou grand, ça va dépendre de toi. Dans chaque chambre, tu vas devoir te soumettre à un... défi.

– Un défi?

– C'est Catherine qui va t'expliquer le déroulement.

– C'est l'idée de qui, au juste?

– Bois ton verre. Cale-le, ça va te donner du courage. Mais ne bois pas trop. Il faut que tu sentes bien ce qui va t'arriver. Catherine va aller avec toi en haut et nous autres, nous allons retourner dehors. On se revoit tantôt.

⚜ ⚜ ⚜

Sandrine suit son amie Catherine dans l'escalier. L'eau coule encore sur ses jambes nues et charnues. Toutes les portes sont fermées, il fait sombre. Catherine la conduit devant la porte de la chambre principale.

– OK. Dans chaque chambre, il y a un gars avec qui tu es sortie.

– J'arrive pas à y croire... vous n'avez pas fait ça? Je ne suis pas intéressée... je veux dire... et mon fiancé dans tout ça?

Catherine ignore les protestations de Sandrine. Leur coup semble fort bien planifié. Elle tient dans sa main un bandeau noir qu'elle brandit devant les yeux de sa copine.

– Je vais te bander les yeux et nous allons entrer dans chaque chambre. Tu vas devoir reconnaître chaque gars grâce à une épreuve.

– Cat, es-tu folle?!

– Pas du tout. Tu vas devoir identifier chacun d'eux lorsque tu reviendras en bas avec nous. Si tu le fais sans erreur, tu auras le droit de faire ce que tu veux ce soir. Ce sera toi qui décideras de quelle façon se poursuit ton enterrement de vie de fille. Sinon, tu devras recommencer le processus jusqu'à ce que tu ne fasses plus d'erreur. Je t'avertis, nous avons posé un petit piège.

– Vous êtes complètement folles...

Sandrine sent son cœur battre à cent à l'heure. Elle est excitée, son esprit fonctionne déjà à toute vitesse.

– Je vais entrer avec toi dans les chambres pour m'assurer que tu ne triches pas. Et tu n'as pas le droit de te servir de tes mains.

Catherine noue le bandeau sur les yeux de Sandrine.

– Vois-tu quelque chose?

– Absolument rien.

– Prête?

– Non.

Catherine éclate de rire et ouvre la porte tout doucement, poussant délicatement son amie à l'intérieur. Très vite, Sandrine sent une troisième présence dans la pièce. Elle sent aussi un souffle chaud dans son cou. Elle frémit et s'imagine déjà qui ce peut être. Et si c'était une attrape et que son conjoint se tenait là, devant elle? Comment pourrait-elle lui avouer qu'elle se sent si excitée à l'idée de renouer avec ses anciens amants? Elle-même ne peut se l'expliquer.

Des doigts chauds défont les boutons de sa robe courte et Sandrine sent le tissu glisser autour de ses jambes. Les mains caressent doucement son dos, puis dégrafent son soutien-gorge. Elle sent ses seins jaillir nus sous les yeux de son partenaire. Ses seins sont très durs et pointent fièrement vers le haut. Elle est un peu honteuse d'être déjà ainsi excitée. Et pourtant, il a suffi d'une simple caresse sur ses mamelons pour la faire décoller...

Comme s'il l'avait entendue réfléchir, son amant secret caresse subtilement ses pointes, les agaçant du bout des doigts. Sandrine frémit. Elle lève à peine les bras, juste pour voir s'il est nu, qu'elle entend la réprimande.

– Hé là! Pas de mains! gronde Catherine derrière elle.

«Seigneur! Et Cat qui joue les voyeuses! pense-t-elle. Est-ce qu'elle examine mon corps nu? Voit-elle à quel point je suis excitée? à quel point je suis déjà mouillée?» Son partenaire invisible se penche et la débarrasse de ses souliers, en caressant ses chevilles au passage.

Sandrine est maintenant nue comme un ver, exception faite de sa culotte tong, qui ne cache pas grand-chose. Son partenaire lui prend la main et la guide vers le lit, où elle comprend qu'elle doit s'étendre. Il l'aide à se coucher sur le ventre. Sandrine ressent des papillotements, des impulsions électriques se propager partout dans son corps. Comme c'est excitant! Que va-t-il faire? Qui est-ce? Elle n'en a encore aucune idée. Elle s'étend donc confortablement, le visage sur les mains, étrangement consciente de sa nudité et du fait que Catherine observe toute la scène.

Elle sent le matelas s'affaisser alors que son partenaire monte sur le lit et vient se placer à califourchon au-dessus d'elle. Elle sent de nouveau son souffle dans son cou, puis derrière ses oreilles. Ses lèvres effleurent son lobe, à peine une caresse. Ensuite, il se met à lui masser les muscles, d'abord gentiment, puis plus vigoureusement. Elle se détend, elle sent tous ses muscles qui se relâchent tranquillement. Sa tête s'alourdit agréablement. Son mystérieux compagnon de jeu masse vraiment bien. Mais qui est-ce donc? Trop tôt pour le dire.

Puis, il pétrit ses épaules, sa nuque, avant de faire glisser doucement ses mains sur ses côtes, ce qui la fait frissonner. Ses mains agiles pétrissent ensuite ses cuisses, puis elles serrent ses mollets, massent ses muscles, avant de faire la même chose avec la plante de ses pieds. Elle sursaute, chatouillée. Les doigts étirent chaque orteil, et Sandrine se sent planer, complètement relâchée.

Les mains de son partenaire reviennent se poser sur son dos nu. Du bout des doigts, il parcourt la ligne de son épine dorsale, jusqu'au creux de ses reins, avant de remonter vers ses omoplates. Il la caresse à peine du bout des doigts; elle doit se concentrer pour les sentir glisser sur sa peau nue.

Sandrine sent ses doigts descendre le long de ses jambes; ils tracent une ligne imaginaire sur ses cuisses, glissent derrière ses genoux, sillonnent ses mollets. «Est-il nu lui aussi? Jusqu'où iront ses caresses?» se demande-t-elle. Il l'enjambe de nouveau et appuie son torse contre son dos. Il est poilu, ses poils rêches chatouillent sa peau. Il porte un maillot de bain, elle sent le nylon du vêtement sur ses fesses. Il est en érection et pose sa verge dure juste au bon endroit pour faire grimper son excitation, à travers son maillot. Sandrine préférerait la sentir directement sur sa peau, sur ses replis déjà bien mouillés.

Elle retient un gémissement. Elle sent son entrejambe se liquéfier progressivement. Son partenaire se met à lui embrasser les oreilles, le cou, le dos. De tout petits baisers, d'où pointe parfois une langue mouillée. Il embrasse ses côtes avec passion. Elle a envie de se coucher sur le dos pour qu'il puisse embrasser ainsi ses seins, pour que sa langue pourlèche le contour de ses mamelons.

Il embrasse la bande de coton de sa culotte, juste au niveau de l'anus, laissant ses doigts y glisser. Voit-il qu'elle est toute mouillée? Puis, il lèche langoureusement ses cuisses, grignote l'intérieur de ses genoux, mordille ses mollets. Il replie ses jambes, apportant ses talons contre ses fesses, emprisonnant durement ses chevilles dans ses mains. Comme il se met à sucer amoureusement ses orteils, elle le reconnaît.

C'est Justin. Il adorait serrer ses chevilles alors qu'il la pénétrait ou la léchait, il aimait la sentir sous son contrôle. Justin... mon Dieu! Comment ont-elles pu le faire venir ici? Sandrine oublie vite cette pensée alors qu'il remonte le long de ses jambes et, d'un doigt, soulève la mince bande de coton coincée entre ses fesses. Il la tire de son logement mouillé et elle sent son souffle chaud caresser ses lèvres roses. Oh oui! Elle veut qu'il la lèche, qu'il enfonce sa langue sans merci dans son vagin. «Vas-y, baise-moi!» pense Sandrine.

Elle entend la respiration haletante de son partenaire, mais aussi celle de son amie qui semble se complaire dans son rôle de voyeuse. Sandrine écarte les jambes. Elle se rappelle comment elle se sentait lorsque son pénis la pénétrait... ce serait tellement bon...

– OK, le temps est expiré, tranche Catherine d'une voix transformée.

Elle est excitée, à l'évidence. Justin se retire et Catherine aide Sandrine à se lever. Cette dernière remet à regret la culotte en place entre ses fesses.

– Déçue que ça se termine comme ça? interroge Catherine d'une voix amusée.

– Je voudrais bien te voir à ma place, grommelle Sandrine, toute retournée. Je suis mouillée jusqu'aux coudes!

– J'ai vu ça...

Sandrine croit qu'elles se dirigent vers la chambre des invités. Catherine pousse la porte et Sandrine sent le soleil sur sa peau nue. «La pièce doit être très ensoleillée», pense Sandrine, maintenant livrée au regard de son nouveau partenaire qu'elle pressent devant elle.

– Agenouille-toi, lui ordonne Catherine en appuyant sur ses épaules. (Sandrine pose les genoux sur un coussin, posé par terre pour l'occasion.) Mets les mains derrière ton dos.

Sandrine s'exécute et Catherine lui attache les poignets avec un bout de bas nylon. «Que va-t-il m'arriver cette fois?» se demande Sandrine. Elle sent que quelqu'un s'avance vers elle, droit devant. Sandrine sent d'abord la légère odeur musquée avant même qu'une cuisse s'appuie sur son menton. Elle ouvre la bouche et un testicule lisse se pose sur la langue. Elle est si excitée que son ventre en gargouille.

Elle lèche doucement le testicule, tout petit et doux, puis le prend dans sa bouche comme une grosse gomme que l'on achète dans les distributrices. Elle le suce doucement avant de le relâcher. Elle ne sait pas encore qui c'est. Elle incline la tête et remonte la verge en pleine érection avec le bout de son nez. L'ascension est longue: c'est une queue très dure et interminable, au moins vingt centimètres, et Sandrine sait aussitôt à qui elle appartient.

David, son amant mulâtre et habile. Elle se rappelle leurs échanges torrides, même cochonnes. Leurs baises dans un parc, sur une roche plate, dans une salle de bain lors d'un repas chez un ami, dans la voiture en pleine rue ou encore assise sur lui alors qu'il parlait avec sa femme au téléphone. Elle se rappelle son abandon total alors qu'elle baisait avec lui. Parce que ce n'était que de la baise pure et simple, une histoire de cul. Elle se sentait perverse, cochonne et osée d'entretenir une aventure avec un homme engagé.

Et lui, en parfait macho, la prenait comme un objet de jouissance, la baisait en lui disant des cochonneries. Et elle adorait ça. Qui l'avait trahie à ses amies? Aucune d'elles n'était au courant. Peu importe pour le moment. Elle ne voudrait jamais revivre une telle aventure, comme elle le disait à son conjoint, mais offert ainsi sur un plateau d'argent, elle se sentirait folle de refuser. Il avait été son meilleur partenaire, tout de suite après Carl, justement parce que leurs échanges étaient si cochons et sans tabous.

Frémissante, Sandrine pose les lèvres sur ce gland qu'elle a si souvent avalé. Elle ouvre la bouche toute grande et David en profite pour y enfoncer son pénis. Les fesses appuyées sur ses talons, ses seins se pressant contre les cuisses de son partenaire, Sandrine se met à le sucer avec entrain. Elle produit même de petits sons avec sa bouche. Elle devine que Catherine les regarde, les yeux tout grands, épatée devant le format de David, et cela lui donne encore plus de témérité. Elle veut en mettre plein la vue à son amie voyeuse.

Sandrine suce sa queue dure pendant une quinzaine de minutes, la léchant parfois, gobant ses testicules qu'elle grignote avec ses dents, avant de reprendre son mât entre ses lèvres. Elle ne peut utiliser ses mains si bien que le long pénis de David rebondit dans sa figure, jusqu'à ce qu'elle l'emprisonne dans sa bouche. Elle gémit, excitée comme jamais. Ces petits jeux sont extraordinaires! Son ventre tourbillonne, son antre ruisselle sur ses cuisses à travers le fin tissu de la culotte.

Sandrine se concentre sur son gland, le suçant presque avec rage, y mettant une pression irrésistible. Elle se souvient que David aimait qu'elle le suce comme si c'était là la chose la plus importante dans sa vie. Il aimait qu'elle le complimente sur sa queue, qu'elle lui dise qu'elle était belle et longue, dure et vigoureuse. Tout ça était vrai d'ailleurs. Et parfois, elle devait le supplier pour qu'il la pénètre, le couvrant de compliments, gonflant encore sa vanité. C'était une autre période de sa vie, un moment de son existence où elle avait senti le besoin de se livrer à des ébats moins orthodoxes.

Malgré sa vanité, David avait su la combler plus que quiconque avec sa grande verge et ses paroles cochonnes. Il était bon et il le savait. C'était en partie cela – son attitude – qui faisait de lui un baiseur exceptionnel.

Sandrine produit des sons humides en suçant son pénis, s'exerçant même à les amplifier au profit de David et de sa spectatrice. Elle aimerait le masturber en même temps, prendre cette grande queue dans sa main, mais elle n'en a pas l'occasion. Elle veut à tout prix venir à bout de sa résistance, qu'il explose dans sa bouche prête à tout gober. Elle a goûté à la jouissance abondante de David auparavant et a dangereusement envie de recommencer.

C'est comme un *challenge*: le faire jouir avant que Cat annonce la fin du jeu. Elle le sent fléchir, sa respiration se fait de plus en plus pressante, le liquide préséminal coule déjà dans sa bouche alors qu'elle redouble de vigueur et exerce une pression accrue sur son gland brûlant.

Mais comme elle sent le moment venir et que son partenaire ne peut plus étouffer ses grognements, Catherine décrète que la petite séance est terminée.

– On passe à l'autre chambre, dit-elle, essoufflée, comme si c'était elle qui avait sucé avec entrain la longue verge sombre de David.

«Quelle queue! murmure Catherine d'un ton admiratif. Ça me changerait d'essayer un truc comme ça.»

Elle a toujours dit à ses amies que son copain avait un petit pénis, mais faute d'avoir connu mieux, elle s'en accommode parfaitement.

– Vas-y, Cat, sers-toi. Je n'ai pas le monopole, blague Sandrine, hors d'haleine, sentant encore le goût des premières gouttes de sperme dans sa bouche.

– Non, non! C'est ta soirée, pas la mienne.

◦¶◦ ◦¶◦ ◦¶◦

La chambre suivante, inoccupée, est aussi ensoleillée. En marchant, Sandrine sent le ruisseau couler entre ses cuisses. Le soleil la frappe de plein fouet alors qu'elle entre dans la pièce. Qui donc l'attend ici?

Catherine défait ses liens et l'aide à s'étendre sur le lit simple. Sandrine se couche sur le dos, les fesses hissées sur deux oreillers. Elle a déjà reconnu les deux premiers participants. Qui sera le prochain? Les choix diminuent... Elle entend Catherine qui referme la porte et, aussitôt, des mains glissent doucement sur ses cuisses, puis agrippent l'élastique de sa culotte. Elle soulève le bassin, mais c'est une ruse. Elle aurait voulu s'en débarrasser mais, apparemment, le moment n'est pas encore venu. Peut-être ne viendra-t-il pas...

Aussitôt, son nouvel amant l'embrasse. Il embrasse bien, il explore sa bouche dans ses moindres recoins. Leurs baisers mouillent encore plus Sandrine. Cette bouche habile se retrouve bientôt sur ses seins; elle tire sur ses mamelons, les emprisonnant entre ses dents. Sandrine gémit doucement, enivrée à la fois par le plaisir et par une douce douleur.

Son amant mange longuement ses seins tout en les comprimant dans ses mains. Sandrine devine que ses pointes sont longues et grosses, rougies par les coups de dents et la succion de cette bouche aimante. Son partenaire de jeu lèche le pourtour de ses seins, il les soulève pour embrasser la peau en dessous, puis revient sucer ses mamelons excités au maximum, jusqu'à en être douloureux.

Puis, les lèvres rudes descendent sur son ventre. La langue trace un sillon humide jusqu'à son pubis, puis la bouche suce l'intérieur de ses cuisses. Tout doucement, l'amant roule le bout de sa langue sur sa culotte. Sandrine la sent pointer à travers le tissu mouillé. Elle sent sa vulve s'ouvrir, anxieuse d'accueillir cette bouche. Si elle pouvait utiliser ses mains, elle tirerait furieusement sur sa culotte pour sentir le contact direct de la langue sur ses lèvres enflées.

Comme s'il l'avait entendue réfléchir, son partenaire saisit l'élastique de la culotte et tire lentement. Le coton quitte son logement détrempé et glisse sur ses jambes avec un chuintement soyeux. Il caresse ses pieds au passage, alors qu'il la débarrasse de sa culotte.

Le temps passe et il revient vite entre ses cuisses. Il embrasse doucement sa vulve. Sa langue se pose sur son clitoris et se met à tourner autour. Il saisit son bouton d'amour entre ses lèvres et tire délicatement. Il le suce comme une pastille, le lèche, s'abreuve du jus qui coule en abondance. Il titille du nez son clitoris innervé et Sandrine devine alors de qui il s'agit. Elle n'a été mangée de la sorte qu'une seule fois auparavant. Par Carl, le meilleur amant qu'elle ait connu, un technicien incomparable.

Ses caresses buccales la font se tordre de plaisir. Ses jambes en tremblent, elle crispe les orteils sous l'assaut du plaisir. Il alterne les caresses de la langue, de ses lèvres, de ses dents. Elle sent sa vulve fondre dans la bouche de Carl et s'ouvrir comme une fleur épanouie; elle sent ses jambes devenir toutes molles, tout son être couler comme un ruisseau. Et lui la boit religieusement, en fourrant sa langue bien loin dans son vagin.

Son partenaire lèche maintenant ses cuisses, il mordille sa peau. Sandrine se sent emportée, elle va jouir comme seul Carl sait la faire jouir. Elle remonte ses jambes en l'air, le souffle court et les yeux aveuglés par le bandeau, totalement livrée à son amant et pleinement consciente de sa vulve ouverte comme une fleur à cette fabuleuse langue, pleinement consciente de son abandon sous les yeux de Catherine, de sa voix rauque qui grogne dans la pièce, par ailleurs silencieuse. «Est-ce que la fenêtre est ouverte? se demande-t-elle. Est-ce que mes amies peuvent m'entendre m'extasier sur les rives de la jouissance absolue? Est-ce que le soleil frappe de plein fouet mon corps nu et exposé aux yeux de mon amie?»

Sandrine crie brutalement son plaisir et l'orgasme titanesque la transporte bien au-delà de cette chambre, en vagues de plaisir qu'elle n'a pas connues depuis fort longtemps. Elle éjacule dans la bouche de Carl et sur ses propres cuisses, qu'elle frotte ensemble pour faire durer le plaisir.

Elle n'a cependant pas le temps de revenir pleinement à elle. Catherine la tire par la main et l'amène rapidement au sous-sol, où l'attend le quatrième partenaire.

– Je n'ai plus de jambes! se plaint Sandrine en haletant, encore secouée par les vibrations de son orgasme.

– Moi non plus, et je ne suis même pas la récipiendaire! rigole Catherine. Si jamais je me marie, vous devez organiser ça pour moi. Et même si je n'ai jamais couché avec lui, je veux absolument que le candidat avec la longue queue me la plante entre les jambes!

ᴓᴓ ᴓᴓ ᴓᴓ

Sandrine connaît sans aucun doute les trois premiers soupirants. Qui peut bien être le quatrième? Jusqu'à maintenant, ils ont tous été des amants qu'elle a appréciés. Les seuls qu'elle ait appréciés, hormis son conjoint. Alors, qui donc est ce quatrième partenaire? Est-ce justement son conjoint? Sûrement pas. Ça lui couperait le sifflet d'un seul coup.

Catherine la conduit dans la seule chambre du sous-sol et elle la fait mettre à quatre pattes sur le bout du lit. Sandrine tremble tellement elle anticipe cette quatrième rencontre. Elle n'a aucune idée de ce qui lui est réservé ici. Quelqu'un s'agenouille bientôt derrière elle, car elle sent son souffle chaud sur ses fesses. Bientôt, on embrasse ses cuisses, ses fesses, une langue s'attarde sur ses reins, pour redescendre sur ses fesses et ses cuisses. Son partenaire lèche ses jambes, déjà dégustées par les autres avant. Il suce la plante de ses pieds, lèche le bout de ses orteils.

Sandrine sent son cœur battre jusque dans sa vulve. Ses genoux tremblent, elle se mord la lèvre inférieure, alors que cette nouvelle bouche retourne lentement vers sa vulve. Ce n'est que pour la lécher brièvement, ce qui électrise Sandrine jusque dans ses orteils. La bouche de son mystérieux partenaire se dirige vers son anus et en lèche finement le pourtour. Puis, c'est toute la bouche qui attaque cet orifice sensible et Sandrine se cambre lorsqu'elle sent ses dents grignoter son petit muscle.

Elle ouvre les jambes encore plus. Si Sandrine pouvait se servir de ses mains, elle écarterait ses fesses. Mais son partenaire s'en charge et ses deux doigts exposent ainsi son anus, qu'il dévore avec gloutonnerie. Sandrine n'en est pas à sa première caresse de ce genre, auparavant appliquée très brièvement. Cette fois, elle est administrée avec tant d'attention et de lenteur que son rectum s'ouvre bien grand à l'exploration. L'interdit l'étourdit, et cette langue mouillée qui force l'entrée de son rectum lui fait perdre le souffle. C'est si cochon, si inhabituel, et Sandrine prend conscience de tous les plaisirs que ce petit muscle inexploré peut lui apporter.

Lorsque la langue la pénètre enfin, Sandrine écarte tout grand les cuisses et soulève encore plus les fesses. La langue plonge loin dans son antre, comme un petit pénis lubrifié, et la sodomise avec vigueur. Chaque fois que la langue replonge dans son cul, Sandrine pousse un grognement de satisfaction. Son partenaire n'utilise pas ses doigts, mais juste sa bouche et sa langue, pour agrandir son anus et le pénétrer plus loin encore, pour exciter ses terminaisons nerveuses et lui faire tourner la tête. Il est si habile que Sandrine serait prête à recevoir son pénis bien bandé, mais il apparaît évident que là n'est pas le but. Comme elle n'a aucune idée de l'identité de son amant du moment, elle imagine la longue queue de David plongeant dans son rectum, et elle regrette de ne jamais l'avoir essayé avec lui.

Cette langue inconnue poursuit inlassablement ses caresses, ses lèvres sucent cette région sensible entre son anus et sa vulve, avant de revenir à l'assaut de son rectum et de s'y enfoncer profondément. Sandrine se sent dilatée, totalement réceptive, alors que la langue pourlèche le contour de son cercle foncé, alors que les dents mordillent l'intérieur de ses fesses rougies. «Juste un doigt! Juste un, poussé loin en moi, supplie-t-elle intérieurement. Je suis si prête!» Elle se mord la lèvre, crevant d'envie, tout en sachant que ça ne viendra pas.

Sandrine pense que quelques minutes supplémentaires de ces caresses buccales suffiraient à lui procurer un orgasme, ce qui en soi serait renversant. Elle n'a pourtant jamais perçu l'anus comme un instrument de jouissance pure. Mais Catherine met fin à la séance en lui prenant de nouveau la main.

Et cela marque la fin du petit jeu. Cat enveloppe Sandrine dans un peignoir et la guide dehors, dans l'humidité de juillet, avant de lui retirer son bandeau.

Sandrine cligne des yeux devant le soleil couchant. Ses amies sont toutes assises sur le rebord de la piscine et la dévisagent avec amusement. Elle s'imagine le visage rouge, la sueur perlant sur ses tempes, un air épanoui sur le visage. Elle se sent comme une poupée de chiffon, mais elle n'est pas encore tout à fait rassasiée. Le tissu du peignoir frotte sur ses seins excités.

– Alors? fait Marie, un grand sourire aux lèvres.

– On veut entendre tes réponses, glousse Cat, le souffle court, alors que Caroline semble gênée par toute cette situation.

Ce n'est certainement pas l'idée de cette dernière. Jamais elle n'aurait osé proposer une telle chose ni même y penser. Sandrine soupçonne Julie, plus libertine, d'en être l'instigatrice.

– Première chambre? demande justement Julie, en nageant jusqu'au bord de l'échelle.

Ses gros seins gonflent son maillot à l'en déchirer.

– Justin, dit aussitôt Sandrine, sans hésitation.

– Pourquoi en es-tu si certaine?

– Il m'a tenu les chevilles. Il adorait ça. Et puis le torse poilu, c'est lui. Mon premier amoureux, mon premier amant.

– Deuxième chambre? poursuit inlassablement Cat.

– David, affirme Sandrine du bout des lèvres, gênée que ses amies soient au courant de son aventure avec ce *play-boy*, qui est aussi leur collègue de travail.

– Pourquoi lui?

– C'est tellement évident. On n'oublie pas facilement ses vingt centimètres!

– Ça non! s'exclame Cat en ouvrant grand ses yeux bleus.

Sandrine jette un coup d'œil dans la cour voisine. Les voisins se baignent aussi. Elle espère seulement qu'ils ne l'ont pas entendue jouir lorsque Carl l'a léchée si merveilleusement.

– Petite cachottière, gronde Cat. Tu ne nous as jamais dit que tu avais baisé avec lui. Et qu'il était si magnifiquement bien membré!

Sandrine hausse les épaules. Elle ne sait plus que dire.

– Troisième? attaque de nouveau Julie.

– Carl. Il a été mon meilleur amant. Aucun doute, là non plus.

– T'es pas mal bonne! s'exclame Caroline. Et dans la quatrième chambre? C'est plus difficile...

– Je n'en ai aucune idée.

– On t'a eue!

– Cette chambre-là ne compte pas, dit Cat en sautant à l'eau. Tu n'avais jamais baisé avec cette personne-là. C'était juste pour brouiller les cartes, ajoute-t-elle en s'essuyant les lèvres.

– Qui était-ce? demande Sandrine, anxieuse.

Elle se serait fait dévorer l'anus par un pur inconnu! Elle n'en revient tout simplement pas. Cat pouffe de rire.

– On a prêté serment de ne pas le dire. Disons que ton imagination devra s'en occuper! Mais nous avons bien choisi, ne t'en fais pas. Et tu n'as couru aucun risque. Nous nous sommes assurées que personne ne te pénétrerait. C'est la seule barrière que nous avons mise.

– Je ne peux pas croire que vous ayez fait ça, dit Sandrine, encore incrédule.

– Tu n'as pas aimé ça? s'étonne Caroline en fronçant les sourcils.

– Non, c'est pas ça...

– Des remords? demande Julie.

– Euh... non, pas réellement, enfin, je ne sais pas ce que mon amoureux dirait de tout ça.

– Eh! Motus et bouche cousue, ma belle. Ça n'avait pas l'air méchant, en tout cas, fait Cat avec un clin d'œil, les lèvres humides. Dis-moi, quel amant as-tu préféré ce soir?

– Ouf! Pas facile comme question! La queue de David est mémorable... Carl m'a fait jouir comme une folle... et puis le dernier m'a fait connaître de nouvelles sensations. Disons que l'amant idéal serait un mélange des quatre. Le talent buccal de Carl, avec la queue sensationnelle de David, la tendresse de Justin et les attentions particulières du numéro quatre pour mon anus. Ça vous va?

– Oui! répondent les filles à l'unisson.

– Tu es la reine de la soirée. Tu as le choix de faire ce que tu veux maintenant, tu as gagné le jeu, dit Julie. Tout ce que tu veux. Qu'est-ce que ce sera?

Sandrine jette un regard vers sa maison au loin, puis aux filles dans l'eau.

– Ne le prenez pas pour vous, mais je crois que je veux recommencer le jeu. Sans barrière, cette fois. Tant qu'à faire, autant aller jusqu'au bout. Vous le savez déjà, moi sans une bonne pénétration...

– Tu es certaine?

– Oui.

– Et les remords? s'enquit Julie.

– Par la fenêtre! Demain est un autre jour.

– Allons-y alors... dit Cat, les yeux brillants, en prenant doucement la main tremblante de Sandrine. Ce n'est plus aussi excitant puisque tu les connais tous maintenant....

– Pas le quatrième.

– Tu ne découvriras jamais qui c'est! ironise Marie en regardant les deux femmes qui s'apprêtent à retourner dans la maison.

– Je vais y travailler toute la nuit, s'il le faut! chantonne Sandrine avant de suivre Cat à l'étage.

Le cœur battant, la vulve encore chaude et humide de ses courts ébats, Sandrine anticipe déjà ce nouveau périple dans les chambres, les yeux bandés, livrée en pâture à ses quatre amants. Elle pense avec envie à la longue queue de David, et comment ce sera de la sentir de nouveau en elle.

Dans l'escalier qui les mène à l'étage, Sandrine remarque pour la première fois les contours humides de la bouche de son amie Cat. Elle fronce les sourcils. Se pourrait-il que...?

Puis Cat lui sourit, et des papillons chatouillent le bas-ventre de Sandrine. «Seigneur, pas possible!» pense-t-elle, inquiète.

Sandrine a tout découvert, mais elle s'abstient bien de le révéler. Le jeu doit continuer, n'est-ce pas ?

Samedi de juillet

Véronique arrive avec une bonne demi-heure d'avance, une bouteille de vin rouge coincée sous le bras et vêtue d'une robe légère bleu poudre. Elle est jolie avec ses joues rouges qui traduisent sans équivoque sa nervosité.

Les bretelles spaghetti de sa robe d'été qui découvrent ses épaules carrées et ses bras puissants ne dissimulent aucun soutien-gorge. Elle n'en a pas besoin; ses seins menus ne souffrent pas de cette omission.

J'embrasse mon amie sur les joues et je l'invite à entrer dans la maison. Elle se déchausse et je commente encore une fois ses grands pieds. C'est une belle soirée de juillet, torride, du genre où tous les voisins s'assoient à l'extérieur dans l'espoir de capter la moindre brise d'air frais. Tout comme moi, le front et les pommettes de Véronique sont recouverts d'une fine pellicule de sueur.

Je range la bouteille de vin dans la cuisine, où Thierry se terre, lui aussi animé d'un trac fou. Il embrasse tendrement mon amie sur la joue en lui saisissant les épaules. Thierry aime beaucoup la toucher, sentir le contact de sa peau nue. Je surprends son regard qui flâne sur sa petite poitrine et je m'en réjouis. C'est une bonne entrée en matière, nous avons tous besoin de casser la glace d'une manière ou d'une autre…

J'ai choisi de porter une camisole blanche, qui exhibe sans ambages mes seins plantureux, également libres de soutien-gorge pour attiser l'appétit de Thierry. Nous prenons tous une chope de bière glacée et nous nous rendons dans le jardin, à l'arrière de la maison. Au début de l'été, nous avons ajouté à notre grande cour une piscine creusée et un spacieux spa. Une vieille tante de Thierry est décédée en mai et lui a légué un substantiel montant d'argent, que nous avons employé à cet effet. C'est la première fois que Véronique vient à la maison depuis cet achat.

– Oh là! C'est le luxe, mes amis! s'exclame-t-elle en s'approchant de la grande piscine éclairée par le projecteur de fond.

J'ai connu Véronique à l'université, alors que nous trimions dur à terminer notre baccalauréat en ingénierie. Depuis ce temps, trois années plus tôt, notre amitié s'est consolidée malgré son célibat et mes fréquentations: je suis avec Thierry depuis quatre ans déjà. J'ai bien tenté à plusieurs reprises de lui présenter des hommes intéressants, mais elle est très sélective et son caractère bouillant cause la déroute de ses relations. Je me suis finalement lassée de tous ses rejets et j'ai abandonné l'idée de jouer les entremetteuses.

Après avoir assisté à notre mariage en avril dernier, elle est partie en Europe pour travailler pendant deux mois. Elle est revenue il y a deux semaines seulement. Depuis Nice, Véronique m'a appelée chaque semaine et c'est durant l'une de ces conversations où le sexe était encore à l'agenda que je lui ai parlé du fantasme de Thierry. D'abord surprise, peut-être même intimidée, elle s'est dite flattée et, après quelques jours de réflexion, elle a accepté de jouer le jeu. Nous avons convenu à son retour que c'était précisément ce soir qu'il deviendrait réalité.

⚜ ⚜ ⚜

Thierry amène Véronique à parler de l'Europe et éventuellement de son travail. En terrain connu, mon amie se délie la langue. Nous sommes bientôt suspendus à ses lèvres. Véronique est une conteuse-née et ses anecdotes, aussi nombreuses que savoureuses, nous dilatent la rate. Nous en avons fort besoin pour relâcher toute cette tension qui nous habite. Puis Thierry nous ressert une bière avant d'allumer le barbecue.

– As-tu rencontré des hommes là-bas? demande-t-il avec un sourire.

Véronique lance un grand rire qui témoigne de sa nervosité. Je la connais assez bien pour le savoir. Moi aussi, je suis nerveuse. Et très excitée. C'est le fantasme de mon mari, mais je dois dire qu'il m'accommode fort bien. Je me demande seulement comment nous allons amorcer les choses. Nous savons tous ce que nous allons faire, et notre nervosité provient de notre embarras évident à faire comme si de rien n'était.

– Un seul, un Parisien pure laine.

– Tu ne m'avais pas dit ça! m'exclamé-je en lui donnant une petite bourrade.

Ses épaules sont dures, elle a des muscles de nageuse.

– C'est arrivé à la fin de mon séjour, Annick. Et puis, il n'y a vraiment pas de quoi pavoiser. Ce n'était que pour la couchette et en plus très ordinaire.

– Allez, raconte.

Thierry est attentif. Il reste près du barbecue, mais son intérêt se lit ouvertement sur son visage. Une histoire de fesses impliquant Véronique a de quoi le captiver. Car je sais fort bien qu'il aimerait bien la culbuter de toutes les manières possibles.

– Il n'y a rien à raconter, vraiment. Il avait une si petite queue que je devais regarder pour m'assurer qu'il était bien entré. Je ne sentais rien, un seul doigt aurait bien mieux fait l'affaire. Avec ça, pas de préliminaires du tout. Il a baissé son pantalon et m'a pénétrée tout de suite. À froid. Ce fut l'affaire d'une dizaine de minutes et je l'ai chassé ensuite. Une bien triste histoire.

La glace est brisée. Nous avons abordé pour de bon le sujet délicat du sexe et c'est maintenant au tour de Véronique de nous questionner.

– Comment vous est venue l'idée de cette petite soirée? demande-t-elle timidement, en dessinant avec son doigt sur la buée qui recouvre la chope.

– En parlant, comme ça. Nous prenions un bain de minuit, avant de nous installer dans le spa. Si tu savais comment ce truc est aphrodisiaque. Tu ne peux pas empêcher tes mains de se balader là-dedans. Enfin... Nous parlions de fantasmes et Thierry a suggéré l'idée que nous pourrions échanger la réalisation d'un fantasme. Que je pourrais l'aider à réaliser l'un des siens et qu'en échange, il m'aiderait à réaliser le mien. Aucune barrière imposée, ou presque. Nous faisions un choix et l'autre s'engageait à le réaliser. Avant même de savoir de quoi il s'agissait.

– Un jeu, en quelque sorte. Sans savoir lequel exactement.

– Exact! C'est justement l'aspect excitant de la chose. Dire oui à l'inconnu, affirmé-je en sentant justement l'excitation me gagner de plus en plus.

Je me lève et j'entre dans la cuisine pour chercher les plats de riz, de salade et de légumes. Véronique me suit peu après.

– Et le tien, quel est-il? demande-t-elle.

Je jette un coup d'œil à l'extérieur. Thierry surveille la cuisson des poitrines de poulet en sirotant sa bière.

– Thierry ne le sait pas encore. Moi non plus d'ailleurs.

– Mmm... Et qu'est-ce qui est interdit?

– Dans mon cas, rien du tout. J'ai le feu vert pour réaliser n'importe quoi.

L'œil de Véronique s'allume.

– Du sado-maso? lance-t-elle.

– Idiote! Tu sais bien que ce n'est pas mon genre.

– Je rigole. Si j'étais toi, je le ferais avec un autre... Tu as le feu vert, c'est le temps d'en profiter.

– Je n'ai pas envie de coucher avec un autre homme. J'aime Thierry.

Véronique fait la moue.

– Avec une femme alors. On a toutes pensé à ça un jour ou l'autre.

– Je ne sais pas. Non, je ne pense pas.

Je décide de revenir sur le sujet qui nous concerne tous.

– Tu es nerveuse, Véronique? fais-je en calant ma bière.

– J'ai une trouille du diable.

Je ris de sa répartie.

– Tu n'auras rien à faire. Tu as le beau rôle.

– Facile à dire! (Elle pose une main sur mon bras.) Mais je suis excitée comme c'est pas possible. Je ne regrette pas d'avoir accepté ta proposition, Annick.

Nous pouffons encore de rire lorsque nous revenons dans le jardin, chargées des plats d'accompagnement. Thierry prépare les assiettes et sert le vin.

◦◦ ◦◦ ◦◦

Durant le souper, nous parlons bien sûr de fantasmes. Véronique nous confie qu'elle aimerait bien faire l'amour attachée, soumise aux caprices d'un amant dévoué et créatif qui lui infligerait mille plaisirs sexuels sans qu'elle puisse y faire quoi que ce soit.

– Bien entendu, il faudrait qu'il soit digne de confiance. On ne sait jamais avec un inconnu. Il pourrait m'attacher et m'infliger toutes sortes de cochonneries.

À la première bouteille de vin en succède rapidement une autre, puis Thierry nous sert un verre de porto pour couronner le tout. Il y mélange un peu de ginseng pour nous enhardir et affaiblir nos inhibitions.

Vers vingt-deux heures, nous sommes tous légèrement ivres et surexcités. Comme Thierry et moi mettons du temps à nous décider, Véronique décide de prendre les devants. Nous brûlons d'impatience de passer à l'action.

– Comment il marche, ce truc? s'enquiert Véronique à l'intention de Thierry en plongeant son gros orteil dans l'eau du spa. Sa voix est rendue aiguë par l'excitation.

Thierry, mon époux attentionné, dont le réel fantasme de toujours est de baiser avec mon amie Véronique, presse un bouton et les remous s'actionnent dans le grand bain. Je vais éteindre les lumières du jardin et je reviens près d'eux. De notre position, les voisins peuvent nous voir depuis l'étage. La haie de cèdres de trois mètres ne parvient pas à voiler complètement notre cour. Dans cette noirceur, ils n'arriveraient cependant qu'à distinguer des silhouettes. Mais, c'est tout de même stimulant de savoir que l'on peut nous observer depuis l'une des maisons environnantes…

Véronique se redresse au-dessus du spa et enlève sa robe. Elle ne porte qu'une culotte satinée, qui luit dans la pénombre. Nous sommes si différentes: moi, j'ai les cheveux courts, blonds et je suis toute menue ; j'ai de gros seins encore très haut placés malgré mes trente et un ans ; mes hanches étroites rajeunissent encore ma silhouette et mes pieds minuscules font à peine la moitié de ceux de Thierry.

Véronique, de deux ans ma cadette et quinze centimètres plus grande, a une ossature robuste. Ses cheveux bruns mi-longs auréolent son visage coquet. Elle peste souvent contre son physique, qu'elle juge ingrat: seins pour ainsi dire inexistants et boudeurs, hanches larges, cuisses dodues, ventre arrondi, grands pieds difficiles à chausser. Mais c'est une fort jolie fille, aux très grands yeux bleus saisissants.

Dès leur première rencontre, Thierry l'a trouvée jolie. Il a d'ailleurs insisté pour que ce soit précisément Véronique qui participe à l'actualisation de son fantasme, faute de pouvoir la culbuter à sa guise. Quant à la principale intéressée, elle a remarqué très vite les mains géantes de Thierry, osant même demander à ce moment si ses pieds et ses mains étaient garants du format du reste de son anatomie. En riant, je lui avais répondu oui.

J'ai déjà vu de plus longs membres que celui de Thierry, mais pas significativement plus gros. Son membre est épais, une vraie massue. Véronique a toujours fantasmé sur son anatomie. Ce soir, elle aura la chance d'apprendre s'il sait se débrouiller avec ce que la nature lui a généreusement accordé.

Pour l'instant, Thierry est hypnotisé par Véronique, qui se glisse à moitié nue dans le spa, en essayant de le faire le plus naturellement possible. Il la dévore des yeux… un peu plus et il en baverait. Il parle de son désir pour elle depuis si longtemps, que de la voir enfin les seins nus lui coupe le souffle.

Véronique est consciente d'être observée sous toutes ses coutures et j'admire le courage dont elle fait preuve pour briser la glace. Je trouve très excitant de m'exhiber nue devant d'autres personnes, mais je ne sais pas si Véronique partage ce sentiment. Sûrement. Qui n'est pas un peu exhibitionniste? Et puis de se dévêtir devant un homme dont on connaît fort bien le désir intense, ça doit faire un petit velours!

Je m'empresse de me dévêtir à mon tour, pour ne pas laisser mon amie en plan, et je m'immerge dans le bain. J'allonge le bras pour inviter Thierry. Il retourne à la cuisine chercher quelques bières et revient nu comme un ver, heureux que Véronique l'observe avec un intérêt sans réserve.

Sa verge en demi-érection s'élève fièrement entre ses cuisses. Son gland est encore recouvert de cette petite peau de pêche qui ne tardera pas à se rétracter. Thierry pose les bières en bordure du spa et entre dans l'eau chaude. Il s'installe entre Véronique et moi. La lumière allumée dans le fond du bain profile nos silhouettes et souligne les contrastes entre celle de Véronique et la mienne. La même lumière me permet également de voir que Thierry est maintenant en érection complète. Véronique y jette aussi un coup d'œil de temps à autre.

Si Thierry rêve que Véronique assiste à nos ébats, il n'est cependant pas question que la soirée se termine par un ménage à trois. Jamais je n'accepterai que Thierry couche avec une autre femme, et encore moins avec mon amie. Nous avons convenu qu'il pourra la caresser superficiellement, si elle le laisse faire, ce dont je ne doute point. Elle est déjà fascinée par sa nudité, même si elle tente de ne pas trop le montrer. Thierry est doté d'un beau physique d'athlète, en plus d'une queue lisse et agréable à regarder. Ses fesses musclées sont plaisantes à empoigner. Ses doigts doivent la démanger, ses lèvres aussi!

J'ai donc fait part à Véronique du fantasme de Thierry au téléphone alors qu'elle se trouvait toujours à Nice. Je la sais un peu voyeuse, en fait, ne le sommes-nous pas un peu tous? À l'époque universitaire, elle s'était retrouvée prisonnière par inadvertance du vestiaire d'une équipe de joueurs de hockey, dont faisait partie son copain d'alors. Elle s'était assise devant l'entrée de la douche et avait suivi la progression de tous ces mâles nus, excités de parader pour elle. En associant ce penchant au fait que Thierry lui a toujours plu, elle a seulement voulu s'assurer que j'étais moi-même à l'aise avec ce scénario.

– Si je ne l'étais pas, je ne te le proposerais pas, avais-je répliqué en riant. Et puis, je ne déteste pas l'idée que quelqu'un nous observe pendant l'amour.

J'aurais cependant préféré que ce soit un homme. J'aurais aimé m'exhiber nue devant un étranger, je lui en aurais mis plein la vue. Mais ce soir, c'est le fantasme de Thierry, pas le mien. Mon tour viendra bientôt.

Pendant que nous parlons, je me mets à caresser sous l'eau la verge de Thierry, tendue comme un fil de fer. Véronique n'en manque pas une seconde. La lumière éclaire mes mouvements, alors que je le masturbe doucement. Ma main glisse avec souplesse le long de son membre, qui prend de plus en plus d'ampleur dans l'eau tourbillonnante. Le ginseng a déjà fait son œuvre et je violerais volontiers Thierry ici dans le bain. Je veux cependant que le plaisir se prolonge et je continue donc à le branler lentement.

J'aperçois la main de Thierry qui vagabonde près de la cuisse dodue de Véronique. Cette dernière ferme les yeux à demi, donnant implicitement le feu vert, et Thierry la caresse doucement, juste au-dessus du genou. Puis, sa main descend vers son mollet et son pied nu, qu'elle agace du bout des doigts. J'attire à moi le visage de mon mari et je l'embrasse à pleine bouche. Je gémis alors que j'ai l'impression de me liquéfier sous la décharge du désir.

J'explore la bouche de Thierry comme je l'ai fait des centaines de fois auparavant, mais ce soir, c'est différent. Nous avons une spectatrice qui ne manque rien de nos mouvements. La main de Thierry caresse aussi sa cuisse près de son sexe couvert d'une forêt de poils foncés. Le ginseng chasse toutes les inhibitions, mais j'ai encore assez d'esprit pour m'assurer que les doigts de Thierry ne vont pas plus loin dans leur aventure. Les cuisses de Véronique s'ouvrent graduellement et je ne veux pas que les doigts de mon époux glissent par inadvertance dans sa fente entrouverte, plus que prête à les accueillir.

– Prends mes seins, dis-je entre deux halètements, le visage en feu.

Thierry les soulève dans ses mains, les soupèse comme s'il tentait d'en deviner le poids. Mes larges aréoles explosent dans sa bouche comme il les lèche avec application. Je presse mes seins contre ses lèvres, allumée comme c'est pas possible. Tel que nous l'avons convenu, Véronique s'extirpe du bain peu après et se précipite dans la maison, pendant que Thierry mange ma poitrine. Quelques minutes plus tard, je prends la main de Thierry et je l'amène à l'intérieur, le visage en feu et les seins tendus à l'extrême…

⌖ ⌖ ⌖

La maison est plongée dans la pénombre. Nos corps ruisselants dégoulinent sur le plancher de lattes. J'entraîne Thierry à l'étage. Sa verge dressée bien haute luit dans la noirceur. Nous avons aménagé un matelas de fortune dans l'une des chambres d'ami que nous n'utilisons jamais. Nous avons étendu trois couvertures et quelques coussins sur le plancher. Une petite bouteille de lotion lubrifiante à saveur de fraises gît dans les couvertures. Au bout, Thierry a eu l'idée de brancher une lampe de bureau à projection, qui éclaire seulement la zone délimitée par les couvertures.

Nous allons nous produire sur une scène éclairée, alors que le reste de la pièce est plongé dans la pénombre. Véronique ne se trouve pas dans la pièce. Elle doit forcément être dans la maison, quelque part. Peut-être a-t-elle trop le tract et ramasse-t-elle son courage! Je suis un peu déçue, pourvu qu'elle n'ait pas plié bagages sans prévenir. Je veux vivre ce fantasme à plein.

Je m'étends sur les couvertures et j'attire Thierry à moi. Tout mon corps appelle ses caresses. Il m'embrasse en serrant mes seins dans ses mains puissantes. J'aime qu'il écrase ma poitrine comme il le fait. Mes mamelons pointent férocement dans son visage et il les mord sans pitié.

J'échappe un petit gémissement et je pousse un peu plus mon sein dans sa bouche gourmande. Il alterne les caresses en léchant, mordillant, suçant ma pointe rougie. Puis il s'occupe de l'autre sein tout en continuant à malaxer celui qu'il vient de délaisser, endolori par ses morsures. Il ouvre la bouteille de lotion et en verse sur ma poitrine. Avec ses deux mains, il pétrit mes seins, les rassemble, les comprime. Avec ses doigts, il tire sur mes mamelons huileux, puis broie à nouveau ma poitrine.

Ses mains glissent sur ma peau, vers mon ventre, puis remontent le long de mes côtes, pour reprendre mes seins par le côté et les coller ensemble. Il prend mes deux larges aréoles dans sa bouche, en même temps, et les suce avec appétit.

J'étire le bras pour me caresser. Je sens la chair entre mes jambes s'humecter, gonfler et s'ouvrir lentement. J'y glisse un doigt, puis deux. Je crispe les orteils sous l'assaut du plaisir. Véronique entre dans la pièce, toujours vêtue de sa seule culotte. Elle s'assit sur un coussin dans un coin de la chambre, écarte légèrement les jambes et replie ses genoux sur ses petits seins. Elle a le visage rouge pivoine. Je lui souris, je suis heureuse qu'elle se soit enfin décidée.

Encouragé par la présence de mon amie, Thierry entame sa descente vers mon ventre: il le lèche et titille mon nombril avec le bout de sa langue, puis il fond vite entre mes cuisses brûlantes. Sa langue m'envahit de sa chaude haleine, m'arrachant soupirs et halètements. Elle dessine le contour de mes lèvres, hésitante à entrer malgré que j'ouvre bien grandes les jambes. Je devine un doigt, par son toucher plus ferme, s'insérer dans mes replis. Puis deux doigts, enfin trois. Il m'écartèle avec sa main entière, ses gros doigts allant et venant dans mon tunnel mouillé.

Thierry revient à la charge avec sa langue, léchant et suçant au rythme de sa pénétration manuelle. Il me déguste pendant vingt bonnes minutes en léchant et en suçotant mon clitoris. Il s'interrompt parfois pour m'embrasser goulûment, m'offrant ainsi la saveur combinée de mon propre jus et des fraises. Sa bouche en est maculée, ses lèvres et son menton sont humides de ma sève, et je les lèche avec excitation.

Véronique observe mon plaisir, les yeux à demi fermés, la respiration haletante. Elle voudrait se joindre à nous, je n'en doute pas. Elle voudrait offrir sa chatte brûlante à Thierry pour qu'il y glisse aussi sa langue de feu. Le ginseng me fait perdre le contrôle, j'ai envie de l'inviter à nous rejoindre sur les couvertures. Je fais cependant appel à toute ma volonté pour me retenir.

Je me délecte plutôt de son rôle d'observatrice. Elle surveille les caresses de Thierry, mon entrejambe ruisselant, et plus spécialement la queue dure de mon mari, qui ne demande qu'à passer à l'action. Je me sens perverse, c'est délicieux. Je l'agrippe, comme si elle était ma possession, et je la serre dans ma main. Je veux faire des choses plus cochonnes, tout ce que je n'ai jamais fait auparavant.

Thierry poursuit ses caresses le long de mes cuisses, puis il lèche mes pieds. J'adore ça. Mais je ne veux pas qu'être passive. Je veux aussi en mettre plein la vue à Véronique, je veux qu'elle apprenne ce que je sais faire avec la verge d'un homme. Je prends donc la bouteille de lotion et je m'agenouille. Thierry se met debout devant moi et je verse un peu de lubrifiant dans la paume de ma main droite, que je frotte contre l'autre. Puis, méticuleusement, je m'empare du pénis bandé de mon mari et je l'enduis de lubrifiant. Je le masturbe lentement, avant d'appliquer le lubrifiant sur ses testicules poilus, en les brassant dans mes mains.

Sous la lumière crue de la lampe, sa queue luit, au garde-à-vous. Je porte ma bouche à son mât, le dardant de petits coups de langue mutine. Il goûte la fraise. Avec ma bouche, je soumets son gland à mes caresses dévouées. Je n'ai jamais fait ça ainsi, agenouillée devant lui pour le sucer. Je prends ses fesses dans mes mains, tandis que mes yeux demeurent fixés sur sa verge, que je suce maintenant avec zèle.

Je veux aussi que Véronique admire Thierry nu, qu'elle observe son pénis alors qu'il entre et sort de ma bouche affamée, qu'elle se caresse en songeant qu'elle aimerait elle aussi goûter à cette saveur de fraises.

Je le suce avidement, me concentrant sur son gland enflé, en produisant un bruit de succion qui se répercute dans la pièce. C'est pour la galerie, pour épater Véronique et Thierry.

Je sens ses genoux faiblir, je ne veux pas qu'il vienne tout de suite dans ma bouche. Dans son coin, Véronique se frotte langoureusement les cuisses ensemble. Thierry la regarde pendant que je le mange sans relâche. Son regard se reporte sur moi en contrebas, accroupie devant lui et pompant dans ma bouche sa grosse queue aux fraises.

Il aime me regarder lorsque je le suce, il aime voir ma bouche s'activer sur son bâton comme s'il s'agissait d'une friandise. Et j'aime lui soutirer ces petits gémissements. Il prend mes cheveux dans ses mains, puis touche à son pénis qui entre à demi dans ma bouche, à mes lèvres qui le ceinturent. Je sens un fin liquide couler dans ma gorge, signe précurseur de l'explosion.

Je délaisse alors sa verge à regret. Elle rebondit hors de ma bouche comme un ressort. Je m'installe à quatre pattes, la position préférée de Thierry, et remonte mon cul pour lui offrir une meilleure prise. Il s'agenouille derrière moi et m'enfile d'un coup de reins. Sa queue est vraiment la bienvenue. Je suis si mouillée qu'elle glisse avec un petit son spongieux. Il la pousse jusqu'au bout, jusqu'à ce que je sente ses testicules s'appuyer tout contre mon cul. Il agrippe fermement mes hanches étroites pour faciliter ses poussées vigoureuses.

Je vois Véronique écarter sa culotte et glisser un doigt entre l'élastique et sa cuisse. Elle commence à se caresser, alors que Thierry pompe son membre dans mon ventre, lui aussi attentif aux mouvements de mon amie. Puis, il s'immobilise et c'est moi qui agite les fesses et le bassin, avançant et reculant sur son érection, à un rythme d'une lenteur affolante.

Parfois, j'avance suffisamment pour que sa verge quitte mon sanctuaire ruisselant, puis je recule pour qu'il m'enfile de nouveau. Il se penche et agrippe mes seins glissants, qu'il tient dans ses mains avec fermeté. Avec ses doigts, il joue avec mes mamelons, les excite, les caresse, les pince. Nous sommes vivement conscients de la présence de Véronique et du spectacle que nous lui offrons.

J'ai de nouveau envie de la langue de Thierry. Je veux qu'il me fouille encore un peu avant de réintroduire sa queue pour le compte. Thierry s'étend sur le dos et je me positionne debout au-dessus de lui, les pieds de chaque côté de sa tête.

Je me caresse ainsi, juste au-dessus de son visage, glissant un doigt à l'orée de ma vulve moite et en chatouillant ma chair tendre. Véronique n'en rate pas une seconde. Je m'agenouille, déposant mon entrejambe sur la bouche de Thierry. Il saisit mes fesses à deux mains et les écarte, pour ouvrir encore plus mes lèvres gonflées. Il lèche à grands coups mon sexe brûlant, pousse quelquefois sa langue jusque dans mon antre de plaisir, suce mon clitoris. De petits chocs électriques me secouent comme l'orgasme monte en moi. J'appuie mes fesses contre son visage et je pousse un grand cri de jouissance, alors qu'une vague de plaisir me plonge dans un état second.

Thierry continue de me lécher, le nez enfoui entre mes fesses, infatigable, tandis que Véronique mord sa lèvre inférieure, en proie elle aussi à un plaisir profond. Sa main va et vient dans sa culotte, qui repose désormais étirée sur ses cuisses, exposant ainsi sa toison sombre. Je vois sa vulve écartée autour de sa main, la moiteur sur ses cuisses.

Le visage de Thierry est maculé de mon jus, et j'en lèche une partie autour de sa bouche et de son nez. Puis, je me remets à quatre pattes, les jambes bien écartées, et Thierry enfonce sans tarder sa verge encore bien dure entre mes cuisses. Cette fois, il pompe sans merci, jusqu'à ce qu'il atteigne la limite de son endurance. Il ressort pour exploser en longs jets tièdes sur mes fesses, en gémissant de plaisir. Il n'a jamais fait ça auparavant. Il agit pour Véronique, comme par fierté mâle. Et je trouve ça amusant.

Nous nous effondrons sur les couvertures, épuisés et trempés. Dans son coin, Véronique retire la main de sa culotte qu'elle remonte sur ses hanches, avec le regard vague de celle qui vient tout juste de jouir. Nous restons tous sans rien dire dans la pièce où l'odeur typique des échanges sexuels flotte dans l'air.

Thierry annonce qu'il prend une douche pour sauter ensuite dans la piscine. Il sort de la chambre et je dévisage Véronique. Elle pouffe enfin de rire, moins nerveuse qu'au départ. Elle vient me rejoindre sur la couverture, des mèches de cheveux mouillés collées à son front en sueur. Ses joues rouges attestent de son plaisir.

— Alors? fais-je encore essoufflée, curieuse et excitée d'entendre ses commentaires.

— C'était excellent. Je n'aurais jamais pensé que ce pût être aussi excitant. J'étais en train de détremper ma culotte!

Nous éclatons de rire. Je suis encore terriblement excitée. J'aurais pu recommencer sans problème. Le ginseng, probablement.

— Quelle note nous donnes-tu?

— Neuf sur dix. J'espère juste connaître un homme avec une bouche aussi fébrile.

— Pourquoi neuf? Où a-t-on perdu un point?

— Pour récolter dix, il aurait fallu que je joue un rôle plus actif!

Nous passons tous sous la douche, puis nous nous retrouvons en maillot dans la piscine. Thierry s'amuse avec Véronique pendant que je les observe. Il la prend à bras-le-corps pour la propulser sous l'eau. Il meurt d'envie de remettre ça, en incluant mon amie cette fois. Ça saute aux yeux. Mais il n'en est pas question. C'est maintenant à mon tour de réaliser mon fantasme. Et bien que je ne sache pas encore très bien ce qu'il sera, je sais qu'il n'impliquera pas mon amie.

Je rejoins Véronique et Thierry, échafaudant déjà dans ma tête les plans pour réaliser mon fantasme. Le pire dans tout ça, c'est que j'ai adoré celui de Thierry que nous venons tout juste de réaliser. Véronique a été formidable.

Je les regarde tous les deux. Ils feraient sûrement une belle paire au lit. Peut-être un jour, lorsque je serai prête.

Peut-être. Je me garde cependant d'en faire mention à Thierry. Et à Véronique.

✂ ✂ ✂

Pendant les trois jours qui suivent cette soirée merveilleuse, je travaille douze heures par jour, du matin au soir. D'autres déboires surviennent à la toile du Stade olympique et je suis mandatée avec quelques collègues pour inspecter la structure afin d'y déceler des faiblesses éventuelles.

Thierry, quant à lui, bosse vingt-quatre heures par jour sur un mégaprojet pour la firme informatique qu'il dirige avec un partenaire. Durant trois jours donc, nous ne faisons que nous croiser dans la maison, soit au petit déjeuner ou lorsque Thierry vient changer ses vêtements. Nous n'avons donc pas l'occasion de discuter exhaustivement de notre petite soirée à trois.

Le mercredi, durant une pause de quinze minutes pour le lunch, j'appelle Véronique depuis mon cellulaire. Je l'invite à manger à la maison ce soir, après quoi nous pourrons nous baigner.

– Je ne pourrai être chez toi avant vingt et une heures. Oublions le repas, mais va pour la baignade.

Une fois l'inspection de la structure du Stade terminée, je mets le pied dans la maison peu après vingt heures. Je n'ai pas faim, je veux juste me relaxer après avoir passé trois longues journées sur le toit du bâtiment le plus controversé de Montréal, sous un soleil de plomb.

Je me déshabille donc, j'ouvre une bouteille de vin et je sors nue à l'extérieur avec deux coupes de cristal. Il fait bon dehors. L'humidité des derniers jours s'est levée et la fraîcheur de la soirée se prête bien à une séance de relaxation dans le spa.

Je m'immerge dans les tourbillons et je bois lentement le vin rouge. Depuis trois jours, j'essaie d'imaginer le prix à payer pour Thierry, ce que sera mon fantasme. J'ai bien pensé à faire l'amour dans un endroit public, ce qui n'allumerait nullement mon mari, je le sais. Mais il n'est pas question de lui. Ce doit être mon fantasme et il n'aura rien à redire.

Je repense à sa fierté mâle lorsque Véronique a assisté à sa belle érection, lorsque la main de mon amie a glissé dans sa culotte pour se caresser, excitée de nous voir si actifs. Après notre saucette dans la piscine, Véronique avait accepté de coucher à la maison. Elle était trop saoule pour conduire et elle avait dormi dans la chambre d'ami. J'avais senti Thierry détendu lorsque je l'avais rejoint au lit. Il avait exaucé l'un de ses fantasmes qu'il croyait irréalisable. Non parce que je le lui refusais, mais parce que trouver une volontaire pour assister à nos ébats aurait pu se révéler plus ardu.

Mais je dois revenir à ma préoccupation. Quel fantasme est-ce que je veux réaliser? Je suis heureuse avec ce que j'ai. Thierry et moi nous entendons très bien, notre couple n'est pas menacé par des disputes. Sexuellement, c'est l'harmonie totale, même si nous ne faisons pas l'amour aussi souvent que nous le voulons. Nos occupations professionnelles nous privent parfois du temps et de l'énergie nécessaires pour jouer une petite partie de jambes en l'air, mais chaque fois, nous nous disons que ce n'est que partie remise.

ⷶ ⷶ ⷶ

À l'heure convenue, Véronique trouve son chemin jusqu'à la cour arrière. Elle se déshabille rapidement et me rejoint, nue, dans le spa. Elle se verse une généreuse portion de vin et appuie sa tête contre le moule de résine.

– Je crois que je pourrais mourir là-dedans, dit-elle en s'immergeant dans les tourbillons jusqu'au menton.

Je ris et nous trinquons à notre amitié.

– Où est Thierry? s'enquiert-elle après avoir trempé ses lèvres dans le vin.

– Il travaille à un gros projet. Pourquoi? Tu aurais voulu remettre ça et participer, cette fois?

– Grand Dieu non! J'essaie encore de me remettre de la première fois. Et puis, je serais incapable de poser la main sur ton mari.

– Et si je te donnais l'absolution?

Elle roule de grands yeux.

– Tu rigoles?

– Oui, mais parlons pour parler. S'il était ici avec nous, dans le spa, nu, et que tu avais mon assentiment pour le toucher, que ferais-tu?

– On parle pour parler?

– Absolument!

Véronique pousse un grand soupir.

– Je lui demanderais... non, je lui mettrais ma chatte en plein visage pour qu'il la lèche comme il l'a fait avec toi, samedi soir. Ensuite, on verrait. Mais sois assurée qu'il passerait une nuit blanche.

– J'en déduis que tu l'as trouvé bien.

– Bien? Tu sais qu'il m'a toujours plu. Et encore plus nu!

Nous nous esclaffons. Je n'ai pas de problème à ce qu'elle évoque Thierry de cette façon. Certaines gênes se sont dissipées depuis samedi soir...

– Et maintenant, quel sera ton fantasme à toi? Tu dois décider.

– Je n'ai aucune idée de ce que je veux.

– Moi, j'en ai des tas.

– Comme quoi?

– J'ai toujours rêvé de baiser avec un Noir. Ça doit être follement exotique. Et puis, ils ont des queues longues comme ça! fait-elle en écartant exagérément les mains.

J'éclate de rire à l'évocation de cette image.

– Ils ne sont pas tous équipés comme dans les films pornos, tu sais.

Je me remémore un film que Thierry et moi avons loué un jour. Un Noir y tenait justement la vedette et s'envoyait une demi-douzaine de filles différentes. Il avait une verge d'ébène magnifique, même un peu effrayante par son gabarit. Et l'homme était plutôt attirant. Il est vrai que les Noirs ont des fesses fantastiques, et malgré mon précédent commentaire à Véronique, la plupart ont des queues hors normes admirables.

– Je sais. Je blaguais, c'est tout. Ce serait bien plus pour l'exotisme que pour le format de sa queue. Les Noirs doivent faire l'amour différemment, voilà tout. Je serais très curieuse de tenter l'expérience. La taille du membre masculin n'a pas d'importance en soi pour moi. Pourvu que je le sente bien. Pas comme ce petit Parisien à la con! lance-t-elle avec un accent emprunté.

Nous rigolons de son expérience frustrante, qu'elle tourne maintenant à la blague.

– Eh bien, en ce qui me concerne, c'est très important. J'aime un homme bien membré qui sait se servir de son instrument.

Depuis le début de ma vie sexuelle active à seize ans, j'ai eu l'occasion de coucher avec une douzaine de gars. Trois d'entre eux, dont Thierry, étaient assez bien pourvus et c'est avec eux que j'ai éprouvé le plus de plaisir. Ce n'est donc pas un caprice. Ce doit être physiologique. Je suis très axée sur les pénis. J'aime les regarder, les toucher, je les trouve excitants. Ce n'est pas le cas de la majorité des femmes, mais moi, c'est ma petite friandise. Alors, l'apparence de cet organe revêt une importance capitale à mes yeux.

– Voyons voir, fait Véronique. Un fantasme que tu pourrais réaliser... pourquoi pas avec une femme? Quand vient le temps du cunnilingus, bien des hommes sont complètement nuls. Je suis certaine qu'on serait mieux servie par une femme, m'avoue-t-elle en sirotant son vin.

Je fronce les sourcils. Cette discussion commence à m'émoustiller.

– Je ne sais pas... peut-être. Sais-tu, je n'ai jamais vraiment songé à cela. (Quoique je n'y aie jamais vraiment réfléchi, l'idée de caresser une autre femme me plaît.) Oui, sûrement, dis-je finalement. Mais avec qui? Ce n'est pas comme se dénicher un mec pour une partie de jambes en l'air. Ce n'est pas écrit dans le front d'une fille qu'elle est prête à tenter l'expérience.

Un sourire taquin étire les lèvres de mon amie.

– On pourrait essayer ensemble...

– Tu veux rire?

Véronique se rapproche de moi, nos orteils se touchent sous les tourbillons. Je ris, je suis nerveuse soudainement.

– Quoi? Tu n'y as jamais pensé? s'étonne mon amie.

Je fais non, mais c'est un demi-mensonge. L'autre soir, lorsqu'elle nous regardait Thierry et moi, j'ai bien pensé un peu à un trio. Et puis, quelle femme n'a jamais songé, au moins une fois, à se laisser caresser par une autre femme?

– Oui, je dois avouer, j'y ai déjà pensé. Mais de là à passer à l'acte, non.

– Je pense que, pour une première expérience, ça doit être mieux de le faire avec quelqu'un que tu connais bien, dit-elle, les yeux pétillants.

– Tu penses?

Je me ressers du vin. Là, j'ai vraiment des papillons dans l'estomac.

– J'ai toujours pensé que tu devais bien embrasser avec ta grande bouche passionnée, me dit-elle encore avec un sourire en coin.

Je vire au rouge et elle se redresse pour atteindre la bouteille de vin. Je regarde ses petits seins farouches, très écartés, que j'ai toujours un peu enviés. Les miens sont volumineux et lourds. Je porte du 34D, alors que Véronique habille probablement du 36AA! La plupart du temps d'ailleurs, elle ne met pas de soutien-gorge car elle n'en a nul besoin. Si j'agissais ainsi, mes seins se retrouveraient vite à la hauteur de mon nombril!

Véronique saisit un petit sac de papier qu'elle a déposé près de la bouteille et revient s'immerger dans le bain, plus près de moi.

– On en fume un? propose-t-elle en extirpant deux joints du sac.

Ça doit bien faire dix ans que je n'ai pas fumé de marijuana. L'idée est tentante et j'en prends un. Nous fumons en silence, en buvant du vin, en laissant nos muscles maltraités se délier par les jets du spa. Bientôt la tête me tourne. La fumée stagne dans l'air, comme les nuages de pluie qui obscurcissent encore le ciel. Je suis totalement détendue, je plane.

Lorsque la pluie débute, nous offrons nos visages à l'averse fraîche, nos corps immergés dans l'eau très chaude et bouillonnante.

– Annick, on devrait essayer.

La pluie s'abat férocement et provoque des clapotis sonores sur l'eau agitée du bain.

– Quoi?! m'exclamé-je, feignant l'innocence.

– On devrait s'embrasser, juste pour tester comment c'est.

Je pouffe de rire. Bien sûr, c'est la nervosité qui s'exprime. Véronique s'approche de moi, nos épaules et nos cuisses se touchent. La scène est un peu surréaliste. Véronique a des lèvres pleines, sans rouge à lèvres. Elle met une main sur ma hanche, se déplace pour me faire face.

Je me sens maladroite lorsqu'elle pose ses lèvres sur les miennes. Mes bras restent le long de mon corps, et malgré la marijuana, je suis raide comme une barre. Lorsque nos lèvres se séparent, nous pouffons encore de rire.

– Plutôt décevant, non? dis-je en m'écartant.

– On s'est pas donné une vraie chance, rétorque Véronique. Il faut se toucher un peu plus, se relaxer un peu. On dirait que tu as vu un fantôme!

– Je suis quand même plus à l'aise d'embrasser un gars, avec l'idée qu'il a une queue entre les deux jambes, dis-je nerveusement, alors que Véronique se love contre moi.

Ses seins émergent de l'eau, très pointus, et je ne cesse de les regarder, comme si je les découvrais pour la première fois.

– Imagine que j'en ai une, une grosse en plus, me dit-elle en souriant.

Elle prend mon visage entre ses mains et m'embrasse. J'ouvre instinctivement la bouche et sa langue glisse sur la mienne. Et là, je m'abandonne à sa bouche soyeuse. La pluie ruisselle sur nos visages. Je sens ses petits seins dressés se presser contre les miens. Ses mamelons féroces chatouillent ma peau. Une chaleur nouvelle monte en moi et je pose les mains sur ses épaules robustes.

Sous l'eau, Véronique met la main sur mon sein ; elle le prend en coupe et manipule doucement mon mamelon. Je sens ses ongles longs l'écorcher et lorsqu'il devient dur et excité, elle le roule entre ses doigts. Je gémis doucement dans sa bouche, bien involontairement. J'avance timidement la main et touche au renflement timide de son sein, effleurant son mamelon excité.

Je me raidis lorsque les doigts de Véronique se posent près de ma vulve et caressent le rebord de mes lèvres. Je me rétracte, c'en est trop. Sa bouche laisse la mienne et je m'écarte. Je suis étourdie, je n'ai jamais été embrassée ainsi! Je frissonne comme si j'avais froid. Mes mamelons pointent agressivement à la surface de l'eau, traduisant parfaitement bien l'état dans lequel je suis. Je croise les bras et je me cale dans l'eau, embarrassée d'être ainsi excitée.

– Alors? me demande Véronique, très consciente de mon trouble.

Je suis encore hypnotisée par ses seins miniatures. Elle est très excitée aussi et je discerne dans la noirceur le contour de ses jolies aréoles. Les petits seins ont quelque chose de noble, d'admirable.

– Euh... pas mal.

– J'ai trouvé ça très bien. On essaie encore?

– Je ne pense pas.

Véronique me dévisage, elle voit bien que ses seins m'obnubilent, que je suis un peu ambivalente.

– C'est pas ta première expérience, non? fais-je pour désamorcer ma tension.

– Non. Mais je ne suis jamais allée jusqu'au bout. Juste des caresses comme ça.

– Donne-moi un autre joint, j'en ai besoin, dis-je en soufflant un peu. (Je tire sur le joint longuement, puis je renverse la tête et la pluie tambourine sur mes joues.) En tout cas, tu embrasses drôlement bien! dis-je enfin, le souvenir encore frais de ses lèvres sur les miennes.

– Bon, puisque nous n'irons pas plus loin ce soir, parle-moi de tes fantasmes.

Nous discutons jusqu'à minuit, sans vraiment découvrir le fantasme qui me convienne. Véronique tire sa révérence et je la reconduis à sa voiture, drapée dans une serviette de bain.

– Dis-moi ce que tu décides. Je tiens à savoir ce que tu choisiras. Et puis, si jamais tu optes pour une femme, je suis partante n'importe quand!

Elle m'embrasse sur la joue et je sens une petite chaleur m'envahir.

– Ne le dis pas à personne, mais mon obsession à moi, ce sont les gros seins! m'avoue-t-elle encore en effleurant mon buste enveloppé dans la serviette.

Je regarde sa Lexus s'éloigner dans la rue et je monte me coucher, saoule et toujours songeuse. Je n'arrive pas à me défaire de l'image des petits seins de mon amie dans le creux de ma main. Et de celle des miens emprisonnés dans les siennes.

Lorsque Thierry se glisse dans le lit à trois heures du matin, je ne dors toujours pas. Et lorsqu'il m'enlace, je serre discrètement les cuisses sur ma vulve mouillée.

⚜ ⚜ ⚜

Vendredi, une autre journée pluvieuse. Je termine mon rapport sur le toit du Stade de bonne heure, si bien que je quitte le bureau du centre-ville tout juste après quatorze heures. J'évite ainsi les bouchons de circulation et je fonce vers le supermarché, où je fais le plein de denrées. Le garde-manger de la maison est à sec.

Arrivée chez moi, je range mes achats et je fais jouer de la musique. La pluie clapote aux fenêtres et le temps sombre profile des ombres sur les murs. La femme de ménage est passée dans la matinée et la maison sent bon le désinfectant.

Sur le réfrigérateur, Thierry m'a laissé une note me disant qu'il rentrera après le souper, que le projet auquel il travaille en est à ses derniers moments. Je me prépare des pâtes pour souper, que j'accompagne d'une coupe de vin. Vers dix-huit heures, je monte à la chambre et j'enfile un bikini. Une fois dans le jardin, j'actionne les remous du spa et je m'y immerge sous la pluie qui frappe mon visage.

Je ne peux m'empêcher de me remémorer les images de Véronique, pelotonnée nue contre moi, ses doigts sur mes seins. Je me souviens de son haleine dans ma bouche. Je suis plus ambivalente que jamais. Je me dis que jamais plus ça n'arrivera, et en même temps, je suis curieuse d'aller plus loin.

Je tergiverse encore lorsque Thierry rentre. Il est séduisant dans son jeans et sa chemise à carreaux, d'un style négligé que j'adore. Ses cheveux blonds frisent sur le col de sa chemise et sa barbe de quelques jours lui donne un air rebelle. Je l'invite à se joindre à moi et il revient quelques minutes plus tard en maillot, avec un paquet de six bières et un sac de papier dans la main.

– Qu'est-ce que c'est? fais-je en pointant le sac.

– C'est une surprise.

– Chic! J'adore les surprises.

Thierry m'offre une bière et s'en ouvre une lui-même. Nous parlons d'abord un peu de boulot. Il me fait un compte rendu de son projet, me dit où il en est exactement, et je lui relate mes péripéties du Stade olympique. Inévitablement, le sujet revient sur Véronique et sur notre aventure de la fin de semaine. Je choisis de ne pas parler à Thierry de ma petite expérience avec mon amie, sinon, il n'en finira plus de me harceler pour en savoir plus et je n'ai pas vraiment envie d'élaborer sur le sujet. Je ne sais pas exactement quoi en penser moi-même.

Je me blottis contre lui et je caresse son ventre. Il aime bien que je fasse courir mes doigts sur sa peau, comme si je l'agaçais.

– Éprouves-tu des remords? dis-je lorsque nous entrons dans le vif du sujet.

– Des remords? Non, pas du tout. Pourquoi cette question?

– Je me disais que ce serait bien que tu me le dises, si c'était le cas. C'est à mon tour, tu sais, de réaliser mon fantasme.

– Aucun remords! Je recommencerais tout de suite.

Je pouffe de rire.

– Laissons Véronique souffler un peu. Elle a vu trente-six chandelles.

– Est-ce qu'elle t'a parlé de moi? Comment j'étais et tout ça?

Je caresse son membre, qui devient dur juste à l'évocation de mon amie. Thierry en pince vraiment pour elle. Ça devrait me rendre jalouse, mais son obsession pour Véronique m'excite plus qu'elle ne me vexe.

– Elle t'a trouvé très bien. Véronique t'a toujours bien aimé, tu le sais. Et toi, comment tu l'as trouvée?

– Bien.

– C'était la première fois que tu la voyais nue. Tu pourrais être plus volubile. (Il se raidit, je sens sa queue durcir encore.) Ce n'est pas un piège. Tu peux me le dire, je ne serai pas fâchée.

– Véronique est fantastique... je lui ferais les pires cochonneries. (Je souris et je l'embrasse tendrement.) Alors, tu as eu quelques jours pour y réfléchir plus longuement. Quel est ton fantasme? me demande Thierry, avec une nouvelle dose d'excitation dans la voix et sous la ceinture.

Je hausse les épaules. Je n'ai rien trouvé encore.

– J'avais peut-être pensé à faire l'amour dans ton bureau...

– Qu'est-ce qu'il y a d'excitant là-dedans?

– C'est le risque de se faire attraper. Tu sais, le danger.

Thierry rit doucement.

– Il n'y a aucun risque. Il n'y a jamais personne dans le bureau en dehors des heures d'ouverture. Ce serait comme baiser dans notre chambre.

Il se blottit contre moi et caresse mes seins à travers le soutien-gorge de mon bikini. Je sens mes mamelons durcir, puis apparaître très clairement à travers le mince tissu. La pluie coule sur nos visages, la sueur sur nos fronts, et je revois le visage mouillé de Véronique s'approcher du mien. Je revois ses pointes acérées au milieu de ses seins mignons.

– Trouve quelque chose de plus osé. Tu te souviens de ta réaction lorsque j'ai proposé que Véronique assiste à nos ébats?

– J'ai dit que c'était impossible, qu'elle n'accepterait jamais. Que tu devrais vivre avec ton fantasme non réalisé.

– Voilà. Nous l'avons fait, et ça a été plus facile que tu ne le pensais. Tu dois songer à ce qui te ferait vraiment plaisir. Dis vraiment ce que tu penses, n'aie pas peur.

Je reste silencieuse ; seul le clapotement de la pluie et les moteurs du bain troublent le silence. Je songe à Véronique, mais je ne peux me résoudre à avouer à Thierry que j'aimerais peut-être faire l'amour avec elle, juste pour essayer. Juste pour voir si je pourrais aller jusqu'au bout.

– Aurais-tu envie d'un autre homme?

– Non! m'exclamé-je avec véhémence.

– Ça ne t'est jamais arrivé?

– Non.

– Deux hommes ? Aimerais-tu faire l'amour avec deux hommes? (Là, j'hésite. La perspective de deux mâles me fait rougir.) Ah! Je touche un point sensible.

– Pas deux inconnus, fais-je avec réticence, mais dans l'espoir que Thierry poursuive son interrogatoire.

Il vient de mettre le doigt dessus. Je le sens dans mon ventre. Seigneur, je sens mes lèvres se liquéfier et couler dans mon maillot, de petits chocs électriques éclatent même au bout de mes orteils.

– Et si c'étaient deux queues? La mienne et celle d'un autre?

Je n'ai jamais songé à faire l'amour avec deux hommes. J'ai déjà pensé à des tas de trucs au fil des années, surtout à des endroits inusités où baiser, mais jamais à ça. Je glisse ma main dans le maillot de Thierry et je saisis son érection. J'ai un peu peur de parler plus librement, c'est un sujet délicat. Mais Thierry vient de me le mettre en tête et, déjà, ça m'obsède.

– Ah, ah! Et à qui appartiendrait cette autre queue? À quelqu'un que l'on connaît?

– Non. Un inconnu, n'importe qui.

– Avec une queue plus grosse que la mienne?

C'est un autre sujet délicat. Je préfère ne pas m'aventurer sur ce terrain glissant et je fais donc la sourde oreille. Thierry connaît mon penchant marqué pour les verges masculines. Mon mari oriente donc la conversation et je ne veux pas rater cette occasion. C'est mon fantasme, après tout!

– Un beau mec, avec un gros membre, ajoute-t-il. Un gars avec un physique fantastique. Du genre des films pornos, avec un visage du diable en prime.

– Tant qu'à le faire, oui, fais-je du bout des lèvres, très excitée.

J'imagine l'un de ces grands gaillards, taillé au couteau et à la verge immense. Il me soulèverait comme un fétu de paille pour me faire l'amour. Ça me va plutôt bien. En ajoutant dans mon imagination la présence de Thierry, je ressens un picotement fort agréable au bas-ventre. La queue de mon mari gonfle dans ma main et je me mets à le masturber.

Les images se bousculent dans ma tête. Je me vois age-nouillée devant un gars immense, dont le membre pend presque jusqu'aux genoux. Je l'enfouis comme je peux dans ma bouche, tandis que Thierry me caresse comme il sait si bien le faire. Puis, l'inconnu se retire et mon mari prend sa place. Je le suce avidement et l'autre s'agenouille derrière moi et enfonce son pieu gigantesque entre mes cuisses moites. L'étranger me martèle si bien et si intensément que j'ai peine à ne pas crier. Puis, il se retire et m'asperge de ce qui semble être un seau de jouissance tiède. Mes deux partenaires se relaient sans fin, m'infligeant orgasme après orgasme, dans toutes les positions imaginables.

Pendant que je m'imaginais tout cela, j'ai extirpé le pénis de Thierry du maillot et je le manipule maintenant avec ardeur. Il fait sombre, la lumière du bain est éteinte. Mais si quelqu'un voulait vraiment nous voir, ce ne serait pas très dif-ficile. Depuis une fenêtre de la maison voisine, il suffirait de regarder attentivement et le réverbère de la rue révélerait nos activités.

Je suis excitée à l'idée que l'on puisse encore nous obser-ver. Thierry se lève et me fait agenouiller sur une marche du bain. Seuls mes cuisses et mes mollets sont toujours immer-gés dans l'eau. Le reste de mon corps est à la merci de la pluie et des curieux. Thierry tire sur le cordon de mon soutien-gorge, qui tombe mollement dans les remous du bain. Mes gros seins pendent librement, des gouttes de pluie glissent sur mes pointes et s'écrasent ensuite sur le béton.

Thierry arrache ma culotte, qui rejoint le haut de mon maillot dans l'eau. Sans plus attendre, il plonge sa langue entre mes cuisses. Pour un instant, à son image se superpose celle de Véronique, bien enfouie entre mes cuisses. J'ouvre mes jambes au maximum, en poussant un petit gémissement lorsque la langue de mon mari titille mon clitoris. Il le suçote tendrement, puis sa langue repart à l'assaut de ma vulve. Thierry suce comme aucun homme que j'ai connu. Il le fait avec pas-sion, et je sens bien qu'il adore ça. Parfois, il gémit en me léchant, en tirant presque autant de plaisir à donner cette caresse intime que moi à la recevoir.

Il écarte mes fesses de ses grosses mains et je sens sa langue s'insinuer loin dans mon vagin, comme un petit pénis. Je me mets à trembler, mes genoux peinent à me soutenir. J'imagine que c'est la langue de ce nouvel inconnu qui me savoure de la sorte, et que Thierry me regarde prendre mon pied comme Véronique l'a fait quelques jours plus tôt.

Je sens les doigts de Thierry s'emparer de mon sexe et le manipuler savamment. Il insère un doigt tout en continuant à me sucer. J'arque le dos de plaisir. Comme si, par une magie de flexibilité, Thierry aurait pu me sucer et me pénétrer du même coup. J'ai toujours dit à Thierry que ce serait fantastique, mais physiquement impossible.

La jouissance est imminente et je me crispe dans l'attente du déferlement de l'orgasme. Ces discussions sur les fantasmes donnent une nouvelle vigueur à nos ébats, c'est exquis. Puis Thierry retire ses doigts de mon vagin, me laissant vide et insatisfaite. Peut-être veut-il recevoir un peu ? Je veux me retourner pour le prendre dans ma bouche, mais il appuie une main sur mon dos pour me signifier qu'il veut que je reste dans cette position.

Puis l'impossible se réalise. Thierry me pénètre doucement, tandis que sa langue revient à la charge sur mon clitoris. Je manque de hurler de plaisir, mais je me retiens pour ne pas alerter le voisinage au grand complet. Je regarde sous moi, entre mes cuisses, là où se déroule l'action. Thierry s'est allongé dans le bain, la tête appuyée sur la marche entre mes genoux, et il déguste ma chatte mouillée. Ce qui est nouveau, c'est que d'une main, il pousse dans mon vagin un phallus artificiel, ma surprise du jour.

C'est un godemiché qui imite parfaitement le pénis d'un homme, avec le gland et même de petites veines en surface. L'effet produit est à s'y méprendre. À première vue, il doit faire un bon trente centimètres de longueur, car Thierry n'arrive pas à le faire pénétrer complètement en moi. Il le tient par la base et lui impose un mouvement de va-et-vient langoureux.

Je m'imagine que c'est la queue de l'inconnu et que, pendant qu'il me laboure, Thierry grignote ma cerise. L'inconnu accentue ses mouvements, qui deviennent plus rapides, tandis que les lèvres de Thierry embrassent mon bouton d'amour. Je ne peux m'empêcher de gémir, fort, certaine qu'on va m'entendre et assister à mon orgasme. L'onde de plaisir monte en moi et se répand dans mon corps entier, jusque dans mes orteils, pour frétiller autour de mon vagin et mon anus. Toute la tension de la semaine s'évapore à mesure que la jouissance la chasse de mon organisme. Je serre les cuisses sur la queue de l'inconnu, alors que la langue furieuse de Thierry prend congé de mon clitoris et se met à lécher mes cuisses mouillées de mon excitation.

Je m'abaisse au-dessus de mon mari et je l'embrasse avec gourmandise. Le godemiché est toujours logé dans mon vagin et je le laisse là. C'est fantastique de sentir une queue encore bien dure entre mes jambes. Je saisis le membre de Thierry et je le pompe dans ma bouche, en serrant les lèvres autour de son gland.

Je me déplace pour déposer mon clitoris sur les lèvres de mon mari. Je sens la queue en moi à l'arrière, tandis que j'en suce une autre et qu'une langue s'agite sur mon clitoris. Je ne sais plus où donner de la tête. Thierry bouge le phallus dans mon vagin. J'ai l'impression très réelle de servir de jouet pour deux hommes. J'ai ainsi un avant-goût de mon fantasme et je sais désormais que je ne voudrai plus m'y soustraire. Il faudra absolument que je le réalise.

Cette queue supplémentaire que Thierry agite en moi devra absolument se transformer en une merveilleuse verge, appartenant à un bel étranger. Il devra avoir un pénis de cette taille, immense, un format qui m'était encore inconnu il y a quelques minutes.

C'est ça, la beauté de l'affaire: je peux choisir l'homme avec qui je veux partager mon lit. Je dois me questionner sur quel type de mec je désire. Je sais donc qu'il doit avoir une grosse queue, longue aussi, et un corps d'adonis. Le genre de gars pour lequel on salive juste à le regarder. Des fesses en béton, des pectoraux saillants, un ventre dur et plat. Des lèvres épaisses pour aspirer les miennes, des yeux troublants. Des mains capables de broyer mes gros seins comme s'ils étaient les petits pruneaux de Véronique.

Je redouble d'ardeur sur la queue de Thierry, terriblement excitée. J'aspire plus fermement, en serrant mes lèvres autour du gland.

— Mmm… tu le sucerais comme ça, l'autre gars? me demande-t-il en gémissant. (Je demeure silencieuse, préférant continuer ma tâche.) Je te jure que j'aimerais bien voir ça. Rien que d'y penser… (Sa queue sursaute et enfle davantage.) Allez, dis-moi, Annick. Tu le sucerais comme ça? Tu te laisserais faire l'amour? Je pourrais regarder?

Je relâche l'étreinte de mes lèvres et je grogne mon approbation. J'imagine que cette fabuleuse queue de l'inconnu ira et viendra dans ma bouche, sous les yeux de mon mari. J'accentue les mouvements et Thierry frissonne. Il explose alors que je viens une autre fois. Je sors sa verge de ma bouche et il se répand dans ma main, que je trempe ensuite dans l'eau tourbillonnante du bain.

— Merci pour cette formidable surprise, dis-je en soupirant, savourant la pluie qui s'abat sur mon corps nu et repu.

Cet interlude me donne encore plus le goût de réaliser mon nouveau fantasme. J'ai besoin de ces deux hommes, je ne peux le renier. Je regarde Thierry, qui me sourit.

— Si je comprends bien, mon fantasme est en fait ton idée, dis-je avec un demi-sourire.

Je me suis fait berner. À mon avantage, il va sans dire. Je retire le godemiché de mon vagin et je l'examine plus attentivement. Un homme équipé ainsi ferait des ravages dans la gent féminine.

– Tu y prendrais aussi plaisir, si je comprends bien, dis-je encore.

– C'est certain. J'aimerais te voir jouir avec un autre gars, puis avec moi. J'en tremble presque juste à y penser. Mais c'est toi qui récolteras les dividendes.

– À n'en pas douter! Tu n'as plus besoin de me convaincre. Je suis totalement vendue à l'idée. Merci à notre petit ami, dis-je en agitant le pénis artificiel. Tu sais, je ne comprends pas les hommes. Je ne pourrais pas endurer de te voir coucher avec une autre femme. Comment peux-tu souhaiter que je baise avec un autre homme? Et que je prenne mon pied devant toi, par surcroît?

Thierry hausse les épaules.

– Je ne sais pas, dit-il. C'est sûr que je vais être jaloux. Je vais avoir un petit pincement au cœur de te voir t'exécuter avec un autre. C'est la beauté de l'affaire pour moi. Je vais souhaiter te voir faire plein de choses que tu ne fais pas avec moi. Je veux que tu me surprennes. Je veux surtout qu'il te fasse jouir comme un petite folle.

Je ris. Je suis tellement excitée que la tête me tourne.

– Seigneur! Je ne pourrais souhaiter un meilleur fantasme. Je vais prendre mon pied avec deux mecs... mais comment va-t-on trouver cet autre homme? Je n'approcherai quand même pas un beau mâle dans un centre commercial pour lui demander de se faire complice de mon mari pour me baiser!

– On a encore le temps d'y penser.

– Pas trop longtemps! Je ne pense pas que je pourrai tenir des semaines maintenant que j'ai ça dans la tête.

J'attire Thierry à l'intérieur de la maison et nous montons trempés à notre chambre. Là, je lui tends le godemiché et je m'installe sur le lit, à plat ventre.

– Baisez-moi à fond, mes deux amants, je roucoule doucement.

Un sourire aux lèvres, Thierry plonge sur le lit armé de ses deux bâtons. En attendant la vraie baise à trois...

Trois fois

En septembre, les soirées sont plus fraîches. La brise d'été courbe l'échine devant la compétition d'un vent plus fort du nord et, tranquillement, les feuilles des arbres se préparent à se parer de leurs couleurs flamboyantes. C'est mon temps favori de l'année. J'aime alors m'installer dans le jardin, siroter un verre de vin et juste me détendre en songeant à l'été qui s'achève. En ce début de soirée de lundi, c'est précisément ce que je tente de faire.

Je dépose le journal *Voir* sur mes genoux. Nous l'avons fait… Oui! après plusieurs semaines à en discuter en long et en large, après maintes mises au point, nous avons échafaudé un plan parfait.

Je reprends le journal et je l'ouvre à la section des petites annonces. La nôtre y a été publiée deux semaines plus tôt, pour une durée de trois semaines. Elle figure dans la rubrique *Rencontres*. Je la relis pour ce qui doit être la centième fois:

> *Jeune couple hétérosexuel, début trentaine,*
> *recherche très bel homme*
> *de 40 ans ou moins, musclé et très bien membré,*
> *pour satisfaire fantasme de trio de madame.*
> *Elle: très jolie professionnelle, blonde,*
> *1,65 m, 52 kilos, belle poitrine.*

Suit un numéro de boîte postale où les personnes intéressées peuvent écrire. Notre plan est simple, somme toute. Avant de faire publier notre annonce, nous avons loué une boîte postale au centre-ville de Montréal, loin de chez nous, sous un nom d'emprunt.

Thierry possède la clé et doit ramasser le courrier. Ensuite, il communiquera avec les hommes intéressés pour effectuer une première sélection. Les candidats retenus devront se présenter dans un restaurant où je les rencontrerai un à un. J'aurai le dernier mot quant au choix final. Je ne connaîtrai que leur prénom, rien d'autre. À la suite de ces rencontres, je devrai faire part de mon choix final à Thierry, qui entrera en contact avec l'heureux élu pour lui donner rendez-vous, un samedi soir, dans un chalet des Laurentides, loué aussi sous un faux nom.

Grâce à ce plan, nous ne courons pas le risque d'être retracés par l'inconnu s'il lui venait l'idée de me poursuivre de ses avances ou de vouloir remettre ça. Et du même coup, je n'aurais aucun moyen de reprendre contact avec lui si la soirée se révélait inoubliable et que j'avais envie de goûter de nouveau à ses performances, en duo ou en trio.

C'est moi qui ai soulevé ce doute, alors que Thierry et moi étions très enthousiastes à l'idée d'accueillir un bel inconnu dans nos ébats. Notre couple est solide, mais il ne faut pas tenter le diable.

– Et s'il me fait jouir comme jamais, que je monte au septième ciel? ai-je lancé comme question, alors que nous rédigions l'article pour le journal.

– C'est précisément le but, a répondu Thierry. Je ne veux pas que ce soit juste ordinaire pour toi. Je veux que tu en perdes la tête, que tu te brises les cordes vocales tellement tu jouiras comme une folle.

J'ai caressé sa main, la tête m'a tourné.

– C'est très gentil de ta part. Mais si c'est justement le cas, si ce mec est beau et si bien équipé, qu'est-ce qui me dit que je ne voudrai pas le revoir par la suite? Ou que je ne voudrai pas que l'on recommence chaque semaine notre petite folie à trois?

– Tu ne te fais pas confiance ?

– Disons que c'est l'inconnu. Nul ne peut prédire comment je réagirai.

– Il faudrait que tu ne puisses pas retracer cet homme...

Nous avons alors imaginé ce plan, qui semble parfait. Pendant les deux premières semaines, nous n'avons pas visité notre boîte postale. Mais ce soir, Thierry a pris la voiture et s'y est rendu pour vérifier si nous avions reçu des réponses. Je l'attends depuis, impatiente, nerveuse même, tout en relisant notre annonce.

Vingt minutes plus tard, j'entends le son caractéristique du moteur de sa Audi, alors qu'il tourne le coin et s'engage dans notre allée. Je me force à demeurer assise, mais j'ai plutôt envie d'aller lui arracher le courrier des mains, si seulement il y en a.

Personne n'aura répondu à cette offre, c'est certain. Nous nous sommes illusionnés que ça marcherait. Les petites annonces auraient été notre unique recours. Comment avons-nous pensé pouvoir recruter un homme qui acceptera de faire furieusement l'amour à une femme sous les yeux de son mari?

Je ne veux pas que ce soit une connaissance. J'ai bien communiqué avec un ancien amant, qui ne répond pas tout à fait à mes exigences malgré le fait qu'il soit un baiseur de premier plan. Comme ça, pas de mauvaises surprises. Je savais qu'il me ferait jouir, je savais à quoi m'attendre. Il s'est montré très intéressé à reprendre le collier, même pour une seule nuit, mais il a vite déchanté lorsque je lui ai appris que mon mari se joindrait à nous.

Puis, j'ai pensé aux danseurs nus qui, selon les rumeurs, exécutent parfois ce genre de choses, moyennant rémunération. J'aurais pu le choisir sans qu'il en soit conscient, à mon goût, en le regardant danser. J'aurais pu m'assurer de la taille de son membre, de la beauté de son corps. Mais Thierry a rejeté cette idée, rechignant à payer un homme pour qu'il me fasse l'amour. Les petites annonces nous ont finalement paru la meilleure option.

Thierry sort dans le jardin en brandissant bien haut quelques enveloppes de sa main droite, le visage fendu d'un sourire.

– Nous avons trois réponses!

Mon cœur se met à battre très fort, je me rapproche de la réalisation de mon fantasme.

ᐊᑎᐳ ᐊᑎᐳ ᐊᑎᐳ

Le restaurant se trouve dans le Plateau-Mont-Royal, un genre de casse-croûte de luxe sans élégance, mais aménagé pour assurer une excellente discrétion. Nous avons retenu les trois répondants qui, au téléphone, ont assuré à Thierry qu'ils correspondaient tous largement aux exigences énumérées dans l'annonce.

C'est maintenant à moi de faire un choix. Je ne peux croire que je vais examiner trois hommes, pour décider lequel aura la chance de me faire l'amour en duo avec mon mari. J'ai des papillons dans l'estomac et la nausée m'a assaillie dès mon réveil. Il fait une chaleur étouffante, doublée d'un soleil de plomb. Je marche jusqu'au restaurant en cherchant mon air tellement c'est humide. Il doit faire dans les 30 °C.

Les rendez-vous ont été accordés avec une heure de décalage entre chacun. Dans trois heures donc, je saurai avec lequel des trois types je coucherai le week-end suivant. Peut-être que ce ne sera aucun d'eux. Cette perspective me rassure. Je ne suis plus du tout certaine de vouloir aller de l'avant avec cette idée. C'est une chose que d'en parler à la maison, d'imaginer qu'une queue étrangère me laboure plutôt qu'un phallus artificiel, mais c'en est une toute autre que de vraiment travailler à actualiser ce fantasme, pour le moins téméraire.

Je me force à demeurer assise jusqu'à l'heure du premier rendez-vous. Je ne cesse de grouiller sur ma chaise. Jamais de ma vie n'ai-je été aussi nerveuse. Je me demande comment je vais expliquer successivement à trois inconnus que l'un d'eux me baisera le samedi suivant, devant mon mari, et même avec lui, jusqu'à ce que je hurle de plaisir. Ils ne me connaissent pas encore et ils doivent m'apporter une photo de leur organe pour que je m'assure que sa taille est respectable. De quoi ai-je l'air? D'une nymphomane mal servie par la petite verge de son mari? Et que diront-ils lorsque je leur demanderai s'ils sont porteurs de maladies sexuellement transmissibles?

Je fixe la porte vitrée avec appréhension. Qui me dit qu'ils seront beaux, à part leur prétention au téléphone à Thierry? Je baisse les yeux sur mon chemisier révélateur et je me sens nue. La sueur coule entre mes seins, inondant la crevasse profonde qui les sépare. Je ne peux pas faire ça, c'est bien au-dessus de mes forces. Je ne peux me résigner à rencontrer ces inconnus, mon fantasme me paraît désormais bien ridicule. Il me reste cinq petites minutes avant l'arrivée du premier candidat et je n'attends pas plus longtemps. Je paie mon café au serveur et je me précipite à l'extérieur. Je marche d'un pas rapide jusqu'à ma voiture et je démarre en trombe. Là vient de prendre fin mon fantasme, bien avant que j'aie pu l'actualiser.

ⴵ ⴵ ⴵ

Tiraillée par ma décision d'abandonner, je fais un détour par la maison, où je me change pour une camisole blanche, un jeans et mes bottes de travail. J'ai annulé mon horaire de la journée pour me rendre dans ce restaurant. Finalement, j'ai besoin de travailler pour me changer les idées.

Je décide donc de visiter un chantier de construction à Sainte-Thérèse. Dans deux mois, une usine de production de camions renaîtra de ses cendres après être restée fermée pendant plus de deux ans. La toiture a été refaite et on travaille d'arrache-pied pour y mettre la touche finale. Je dois en inspecter les structures et remettre mon rapport dans les heures qui suivent.

Le chantier grouille d'activités comme une ruche d'abeilles. Je mets mon casque de sécurité et je rencontre le contremaître. Je dois monter sur le toit, d'une quinzaine de mètres de hauteur, et j'emprunte donc un petit ascenseur de fortune pour m'y rendre.

La chaleur au sommet est encore plus abrutissante. Je sens de petites rigoles de sueur couler dans mon dos, sur mes tempes et entre mes seins. Un groupe d'hommes est à couler du goudron pour achever la toiture. Je mets environ quarante-cinq minutes pour examiner la structure, tout en prenant quelques notes dans mon calepin. Le soleil brûle mes épaules pâles, la condensation s'élève du goudron frais qui répand autour son odeur caractéristique.

Je m'apprête à descendre lorsque je le vois. Aussitôt mon estomac se noue et mon fantasme me saute au visage, plus vivant que jamais. Je m'approche en faisant mine d'examiner le goudron qui sèche lentement au soleil.

Il applique avec un rouleau une couche de goudron près des bordures du toit. La sueur ruisselle sur son torse nu et lisse, puis sur ses belles jambes. Sa peau est brunie par le soleil et son jeans coupé moule ses fesses sublimes. Il porte des bottes de travail et des bas de laine grise. Son casque de sécurité jaune retient des cheveux longs, qui doivent normalement tomber sur ses épaules carrées.

C'est un être sensuel. Il pourrait être danseur avec son physique d'athlète ; il est ferme de partout, ses muscles sont développés et nerveux. Ses mouvements font justement rouler ses muscles alertes sous cette peau cuivrée, détrempée de sueur. Je me sens toute molle, je sais que je regarde là celui qui doit absolument me faire jouir. Nul besoin d'annonce dans les journaux: mon fantasme est couvreur de métier, il a un corps sublime et il travaille sur le chantier que je suis chargée de surveiller.

Comment savoir s'il est disponible et intéressé? Je réfléchis à toute vitesse. Il est bientôt l'heure de la pause, la cantine ne tardera pas à faire entendre son klaxon. Je prends l'ascenseur et je descends à toute allure, juste comme le petit camion arrive sur le chantier. J'achète une canette de Pepsi et je me dirige rapidement vers l'ascenseur. Alertés par le klaxon, les hommes convergent vers le camion. J'examine ma tenue avant de remonter sur le toit. Je suis poussiéreuse et mes seins saillent sous ma camisole trempée de sueur.

Il reste une demi-douzaine d'hommes sur le toit, dont celui qui m'intéresse. Il s'essuie le visage avec un linge. Il a enlevé son casque et ses cheveux sombres tombent librement sur ses épaules. J'ouvre la canette, j'en bois une gorgée et je me dirige vers lui, les jambes flageolantes, le cœur palpitant. Une décharge d'adrénaline traverse mon corps.

Il me voit approcher et me sourit. Il a des dents éclatantes que ses lèvres découvrent lorsqu'il sourit. Son cou large et puissant évoque un magnifique cheval sauvage. En me tenant près de lui, je me rends compte qu'il est énorme, grand et robuste ; un véritable mur de briques! Il doit avoir trente ans, tout au plus. Je le désire comme je n'ai jamais désiré un homme de ma vie.

— J'ai pensé que tu aurais soif, dis-je en lui tendant la canette entamée.

Il la prend sans rien dire et en boit deux longues gorgées. Il me la remet et je bois aussi en le fixant dans les yeux. J'ai soudain l'impression d'être une fille facile et je manque de m'enfuir à toutes jambes. Mais ses yeux bleus me sondent et je suis hypnotisée. Décèle-t-il mon désir fulgurant et tout aussi soudain pour lui? Il est magnifique, viril, et son corps ferait rêver bien des femmes.

– Je m'appelle Annick, fais-je en essayant de contrôler ma voix.

Je suis bouleversée. Je n'ai jamais vu, du moins en personne, un être aussi puissamment sensuel. Il émane de lui un érotisme à fleur de peau, une sensualité qui transpire par tous les pores de sa peau. Je veux l'avoir nu devant moi, son corps si magnifiquement sculpté à ma merci, sa queue, que je devine longue et musclée, bien enfoncée dans ma bouche. Je désire l'entendre gémir de plaisir, sentir ses mains puissantes sur mes épaules et partout sur moi. J'imagine nos corps en sueur enlacés, ses fesses dures dans mes mains, son torse pressé contre ma poitrine. Je suis envoûtée et j'ai peine à clarifier mes idées.

– François, répond-il d'une voix grave, que j'imagine fort bien me disant des obscénités alors que nous faisons l'amour comme des bêtes.

Il ne dit rien de plus, il ne va pas me faciliter la tâche. Lentement, les autres hommes quittent le toit pour descendre à la cantine. Mais François reste là, devant moi, sans esquisser le moindre mouvement.

Bientôt, nous sommes seuls, à nous examiner. Il se retient de ne pas reluquer mes seins et cette faiblesse dans son armure me met plus en confiance. C'est la dernière fois que je viens sur ce chantier. Je ne le reverrai plus ensuite, je peux donc me lancer sans trop de crainte et s'il me traite de folle, eh bien, je n'aurai qu'à déguerpir vite fait.

Je sors de ma poche arrière un petit plan qui indique comment se rendre au chalet que nous avons loué dans les Laurentides. L'adresse y figure également, ainsi que l'heure à laquelle nous serons prêts à accueillir notre partenaire. Je la tends à François, qui la prend entre ses doigts pour l'examiner.

– Qu'est-ce que c'est? demande-t-il, surpris.

– J'ai organisé quelque chose pour ce samedi. Si tu veux y participer... enfin, j'aimerais que tu puisses venir...

Intéressant choix de mots. Devant mon malaise évident, il sourit et je me sens fondre. Je dois être rouge comme une tomate. Comment expliquer à cet inconnu que je veux que ce soit lui qui me baise sous les yeux de mon mari, jusqu'à m'en donner des courbatures?

– Qu'est-ce que c'est? Une orgie?

J'émets un rire nerveux. Il n'est pas très loin de la réalité. Combien de personnes faut-il pour qualifier une relation sexuelle d'orgie? Je dois avoir le mot SEXE écrit sur le front en capitales rouges. Je me lance, en fermant les yeux.

– Non. Juste toi, moi… et mon mari.

Je surveille sa réaction, m'attendant à y découvrir une quelconque désapprobation. Mais je n'y discerne rien, peut-être juste une lueur d'intérêt dans ses beaux yeux bleus.

– Viens t'asseoir un peu ici, je vais t'expliquer en quoi ça consiste, dis-je en lui prenant la main et en l'attirant dans un coin d'ombre.

Il me suit et je sais que ça y est. Le courant passe bien. Je l'ai trouvé, sans journal, sans petite annonce. Je ne peux extrapoler sur la taille de son membre, mais je suis prête à céder là-dessus. Il me fait un effet monstre, j'en suis toute retournée, bien loin de songer que je me précipite directement vers le danger que j'appréhendais dès le départ.

ᴏⁱ⁰ ᴏⁱ⁰ ᴏⁱ⁰

Le chalet est situé en retrait, au milieu d'une végétation luxuriante. C'est une construction de bois rond comme il ne s'en fait plus, avec des rideaux de dentelle aux fenêtres et un balcon surplombant la porte d'entrée. À l'intérieur, le rez-de-chaussée accueille un salon, une cuisine, une salle à manger et une salle de bain. Une grande mezzanine abrite pour sa part un énorme lit couvert d'une courtepointe et un bain romain assez spacieux pour accueillir quatre personnes. C'est une des raisons pour laquelle Thierry et moi avons choisi ce chalet.

Thierry dépose nos bagages dans la chambre pendant que j'ouvre les fenêtres pour aérer un peu. Nous sommes tendus à l'extrême, même s'il reste plus de deux heures avant l'arrivée de notre invité.

À ma grande surprise, François a rapidement accepté ma proposition, sans démontrer de surprise apparente ou une quelconque indignation. Il a seulement trouvé étrange que mon mari accepte cela et qu'il l'ait même proposé. Je pensais que mon fantasme, enfin notre fantasme, serait impossible à réaliser. Il semble cependant que nous ne soyons pas si extravagants et que notre proposition ne fasse pas peur, comme j'avais imaginé qu'elle le ferait.

J'ai des papillons dans l'estomac, juste à penser que dans moins de deux heures, je vais être allongée dans ce grand lit avec deux hommes, dont un que je ne connais pas du tout. Les deux abuseront de moi et n'auront d'autre but que de me conduire au summum de la jouissance.

Nous sortons pour marcher un peu dans les bois, pour essayer de nous détendre. Je tremble tellement je suis énervée, excitée aussi. Je vais faire l'amour avec un autre homme, ce que je n'ai pas fait depuis quatre ans, soit avant que je rencontre Thierry. Ce sera étrange de sentir le contact d'un autre sur ma peau et en moi, et de me soumettre aux caresses de deux mâles. Comment vais-je réagir en tenant le pénis d'un autre dans ma main, en le suçant et en le bécotant? Je sens une nouvelle fièvre monter en moi. J'ai terriblement envie du goût de cette queue étrangère, que je dégusterai sous les yeux attentifs de mon mari.

Une heure avant l'arrivée de François, nous mangeons du bout des doigts, cherchant seulement à nous remplir l'estomac afin d'être en forme pour la soirée. Nous faisons honneur à la bouteille de vin, puis nous en ouvrons une deuxième. J'ai besoin de ce vin pour m'enhardir. Je ne pourrai certainement pas toucher à cet homme à jeun. Pas question!

Vers dix-neuf heures trente, je ne tiens plus en place. Thierry glisse un disque compact de musique douce dans le lecteur de la chaîne stéréo. Je m'installe sur le canapé, la bouteille de vin à proximité, et je tente de relâcher mes muscles. Je sens sourdre au plus profond de mon estomac cet agréable pincement d'anticipation et de désir. Je frotte mes cuisses ensemble, sous ma robe t-shirt. J'ai choisi ce vêtement car je me sens sexy lorsque je le porte. Le coton léger moule mes gros seins et mes fesses, en plus de découvrir mes jambes. Et puis, d'un mouvement rapide, je peux m'en débarrasser aisément. Je ne veux pas d'un vêtement qui se révélera un obstacle lorsque viendra le temps de passer aux choses sérieuses.

– Il est presque vingt heures. Je vais sortir, dit finalement Thierry, qui tient à ce que nous commencions sans lui.

Thierry sort de la pièce et je me verse encore du vin. Je reste assise jusqu'à ce que l'on cogne à la lourde porte de bois rond. Je me précipite pour ouvrir. François se tient devant moi ; il est encore plus beau que dans mes souvenirs. Il porte un jeans, un t-shirt qui met ses muscles en évidence et un veston de cuir. Ses longs cheveux flottent autour de son visage sensuel.

Toute frémissante, je l'invite à entrer. Je referme la porte et je l'embrasse sur la joue. Rendue là, je ne sais plus comment agir. Je me sens enhardie. Pas seulement par l'alcool, mais surtout par la vue de cet homme qui ranime mes pulsions. J'ai envie de lui au point où des chaleurs affluent à mon visage. Dois-je me lancer dans ses bras et déchirer ses vêtements comme je crève d'envie de le faire, ou dois-je tout simplement l'inviter à s'asseoir? Je n'ai aucune expérience des baises collectives et j'imagine que lui non plus...

Je suis rongée par le désir, et en même temps, la nervosité engourdit le bout de mes doigts. Je tente de contrôler mes pulsions. J'ai pensé à François toute la semaine, l'attente jusqu'à aujourd'hui s'est avérée interminable. Transportés par le désir, Thierry et moi avons fait l'amour tous les soirs. Et à chaque occasion, j'ai rêvé de François, les yeux fermés et les jambes bien enroulées autour des hanches de mon mari.

Je lui fais visiter le chalet et lorsqu'il découvre le magnifique bain avec une pile de serviettes posée sur le côté, un sourire s'étire sur ses lèvres. Il est beau comme un dieu. Je mangerais sa bouche d'un seul coup. Je me demande comment ce sera de l'embrasser, de sentir ses mains sur ma peau et, éventuellement, de sentir sa peau sous mes mains.

– Veux-tu quelque chose à boire? dis-je d'une voix surexcitée, très aiguë, lorsque nous retournons au salon.

Je ne veux pas perdre de temps en préambule. Je suis excitée comme c'est pas possible et j'ai envie de lui tout de suite. Je lui sers du vin et nous buvons en silence, mal à l'aise, en examinant le fond de nos coupes respectives. Il me demande où est Thierry et je lui réponds qu'il est sorti momentanément.

– Il y a une chose que je ne comprends pas. Les hommes rêvent effectivement de faire l'amour à trois, mais avec deux femmes, habituellement. Pourquoi ton mari tient-il tant à ce que ce soit un homme qui se joigne à vous?

Je ris de mon embarras.

– Je ne sais pas, je veux dire, oui je le sais. Il veut me regarder faire l'amour avec un autre, il veut que cet autre homme, toi en l'occurrence, me donne du plaisir à profusion. Il veut me voir jouir grâce à un autre homme.

– Je suis prêt à essayer, dit François en posant sa main sur mon pied nu.

Son contact m'électrifie. Mon intuition me dit qu'il doit aussi baiser comme un dieu et je trépigne d'impatience de découvrir ce qu'il sait faire. Je veux également lui montrer ce dont je suis capable. Je me sens libertine. J'ai en tête plein de trucs cochons que je veux essayer. Je désire que cet homme se rappelle de moi comme d'une amante féroce.

Je trouve le courage de plonger mon regard dans le sien et je tente d'y découvrir la marche à suivre. La musique lancinante remplit le chalet. François soutient mon regard éperdu, puis il sourit. Il m'enlace en m'entraînant dans le salon, où nous dansons de longues minutes. Je sens son corps ferme contre le mien, ses muscles bandés et la fermeté de sa queue à travers son jeans.

Son érection a quelque chose de rassurant. Je me colle tout contre lui, j'enfouis mon visage dans son cou, sous ses cheveux et je hume l'odeur combinée de sa peau et de son eau de toilette. L'odeur musquée décuple mon désir. Ses mains sont posées sur mes reins, presque immobiles, si ce n'est de ses doigts qui flânent sur mes fesses.

– Je te désire depuis que je t'ai vu, murmuré-je à son oreille d'une voix rauque.

Je veux commencer quelque chose. Je ne peux plus attendre et je n'ai pas l'intention de converser une heure avec lui. Nous sommes ici pour faire l'amour et je brûle d'envie de commencer. Depuis qu'il est arrivé, mes sentiments se bousculent. J'ai envie de le serrer contre moi, de le caresser.

Comme si François pouvait lire en moi, il se penche pour m'embrasser passionnément. Je me demande si Thierry nous épie déjà, depuis la fenêtre. Mais franchement, je ne m'en soucie pas. Je préfère me consacrer corps et âme à mon nouvel amant, incroyablement doué pour me faire chavirer de désir.

Car je le désire avec une intensité surprenante. Je n'ai encore jamais fait l'amour à un homme si beau, qui dégage un tel magnétisme sexuel, qui propage autour de lui un érotisme troublant. Je ne saurai résister longtemps avant de partir à la découverte de l'amant qu'il est. Je goûte enfin cette bouche que j'embrasse en rêve depuis les derniers jours. Ses lèvres sont douces et pleines, d'une sensualité divine. Il embrasse comme un dieu, sa langue pénètre délicatement dans ma bouche, presque timidement d'abord, avant de s'imposer davantage et de devenir carrément gourmande. Sa langue glisse sur mes dents et sur mes gencives. Je me sens devenir toute molle dans ses bras.

Ses mains énormes courent partout sur mon corps avec adresse. Il m'embrase avec ses caresses subtiles. Ses mains n'arrêtent nulle part en particulier ; elles sont partout à la fois. Je me presse farouchement contre son corps de béton. Je sens le désir ruisseler entre mes jambes, je n'ai jamais connu un homme pareil, si savant dans ses caresses. Je veux sentir ses mains sur moi, tout de suite.

Je fais passer ma robe au-dessus de ma tête et je me retrouve en sous-vêtements devant lui. Il détaille ma poitrine avec fascination, comme il le fait depuis son arrivée. J'ai de très larges aréoles, d'un rose presque aussi pâle que ma peau, mais néanmoins bien visibles à travers la dentelle de mon soutien-gorge.

Ses yeux bleus brûlent ma peau tellement ils sont intenses. La chair de poule couvre mes bras. Son regard ardent, chargé de désir, me bouleverse au plus haut point.

Habilement, François sort mes seins des bonnets, sans défaire mon soutien-gorge. Ses mains sont douces et chaudes. Il promène un doigt sur mes mamelons, tendus au maximum, tournant autour, les effleurant aussi doucement qu'un souffle, comme pour marquer son respect. Puis, il dégrafe mon soutien-gorge d'une seule main. Il a l'habitude de faire ça, je me demande combien de filles il a déshabillées auparavant…

Maintenant, il manipule mes seins entre ses mains ; il les masse avec vigueur avant de porter à sa bouche mes pointes excitées. Ses mains jouent avec ma poitrine comme s'il s'agissait de pamplemousses mûrs. Volumineux à souhait, mes seins ont l'air de petits jouets dans ses grosses mains. Tranquillement, il suce mes mamelles, puis il les lèche. Une fois qu'elles sont bien humectées de salive, il les pince affectueusement entre ses lèvres. Je saisis ses longs cheveux et je l'attire à mon visage pour l'embrasser encore. Sa langue fouille de nouveau ma bouche impatiente, alors que sa main fond entre mes cuisses en feu. Il me caresse doucement par-dessus ma culotte, déjà toute mouillée.

J'esquisse le geste de me débarrasser de cette culotte encombrante, seul rempart entre sa bouche et mon plaisir. Mais il repousse mes mains et s'accroupit devant moi. Il se met à me manger par-dessus ma culotte. Je sens ses lèvres épaisses et sa langue se presser contre la paroi de coton. Il glisse ses mains sous le sous-vêtement, jusque sur mes fesses, qu'il frôle à peine. Je me trémousse, les mains appuyées sur sa tête, les doigts entortillés dans ses cheveux. Je pousse des gémissements étouffés. Vivement qu'il me débarrasse de cette maudite culotte!

Mais François, en excellent amant qu'il est, poursuit sa dégustation à travers le coton. Je suis tellement mouillée que ma culotte est détrempée, à l'avant comme à l'arrière. C'est une torture délicieuse, un suspense intenable. Je veux qu'il déchire mon sous-vêtement mais, en même temps, ce frisson d'anticipation me force à patienter pour goûter enfin au contact direct et velouté de sa langue sur mes chairs excitées.

Je suis nue et lui est tout habillé. Cette situation m'excite aussi. Je me sens délicieusement exhibitionniste, perverse. Je gémis doucement, alors que sa langue poursuit son exploration inlassable et que ses mains jouent tranquillement avec mes seins gonflés, maintenant agréablement douloureux. Il triture mes pointes dressées, les agace, me soutire sans mal de nouveaux gémissements plus plaintifs.

Incapable de me retenir plus longuement, je tire sur sa veste qui choit sur le sol. Puis, je soulève le t-shirt au-dessus de sa tête. Son torse lisse, sans poil, et ses pectoraux musclés saillent fièrement devant moi. Ses bras sont aussi épais que ses mollets, ses épaules sont noueuses. J'embrasse ses pectoraux fermes. Sa peau est chaude, je m'y colle le visage avant de titiller ses mamelons, avant de les mordre. Je m'acharne sur son jeans avec des mains tremblantes et je réussis à le descendre sur ses jambes légèrement poilues.

Il se débarrasse du vêtement et je m'agenouille pour tirer lentement sur son boxer. Son érection me saute au visage et je retiens une exclamation ravie. Fière et dure, sa queue puissante dépasse mes espoirs les plus fous; elle doit faire au moins trente centimètres. Très droite, au gland proéminent, elle est sillonnée de deux veines saillantes.

Mais la plus belle surprise, c'est de découvrir qu'il est entièrement épilé, que ses testicules lisses sont exempts de poils et que sa queue est joliment circoncise. J'en salive tellement elle a l'air appétissante. Pour moi, l'amante des verges, il n'y en a pas de plus belle. Ça ne peut être réel, il est trop parfait.

Tout son corps a la perfection d'une statue de bronze, la teinte aussi, et j'en suis émerveillée. Je ne peux m'empêcher d'embrasser sa peau enivrante, de mordre ses épaules et son cou, de lécher son ventre aux muscles bien dessinés, son torse si lisse et si puissamment sensuel. Ses bras comme des troncs d'arbre me serrent et je suis sienne.

Je suis déchaînée, je le dévorerais tout cru. En le caressant, je pousse des gémissements de plus en plus forts. Ça ne va pas assez vite, je veux l'embrasser partout à la fois. Je mords à pleines dents dans ses fesses musculeuses, bombées. Je me régale de ce corps d'athlète tout chaud qui s'offre à moi.

Mes mains impatientes le caressent partout, mes doigts courent sur son corps sublime. François me soulève dans ses bras puissants, comme si je n'étais qu'un ballot de plumes. Il monte l'escalier menant à la chambre, pendant que je l'embrasse dans le cou en soufflant bruyamment. Mais plutôt que de se diriger vers le lit, il me dépose dans le bain chaud et s'immerge à son tour. Une mousse blanche flotte à la surface. François plonge ses mains sous l'eau et retire enfin ma culotte, qu'il lance ensuite en bordure du bain.

Puis, il s'empare d'un pain de savon, qu'il frictionne entre ses mains, longuement, jusqu'à ce que ses doigts soient recouverts de mousse. Il savonne ensuite mon corps, promène ses mains sur mes bras, le long de mon dos, dans mon cou, même entre mes orteils. Je me livre totalement à ses caresses, molle comme une poupée de chiffon, tous mes sens en alerte. Je pense jouir juste à me faire savonner de la sorte. Ses mains glissent merveilleusement bien sur moi. Il masse mes mollets, puis il remonte vers mes seins lourds. Il reprend la barre de savon et la frotte autour de mes mamelons, puis sur mon ventre, inondant de mousse mon nombril.

J'arque le dos pour signifier mon impatience, je soulève mon bassin pour exhiber à François mes lèvres roses et haletantes. Il sourit, narquois, et il agite enfin deux doigts contre l'entrée de ma vulve. Il presse la barre de savon entre mes cuisses, forçant ainsi l'ouverture de mon tunnel. D'un doigt expérimenté, il nettoie ensuite mon anus, poussant le savon à l'intérieur avec une facilité déconcertante, pendant que son autre main s'occupe de mon sexe affamé.

Ses doigts grouillent en moi, devant comme derrière, explorant mon intimité sans retenue. Son doigt derrière est exquis, il glisse toujours plus loin dans mon cul, tourne sur lui-même, impose un rythme ahurissant.

Puis, François me fait asseoir sur le rebord de marbre du bain, un doigt toujours enfoncé jusqu'à la jointure dans mon rectum. Je pousse un long soupir lorsqu'il abaisse son visage entre mes cuisses. Je sens son haleine chaude sur mes lèvres, qui s'ouvrent, frémissantes. Mon partenaire se met à manger ma vulve savonneuse, léchant la mousse qui la recouvre. Je pose mes pieds sur ses épaules et je bande les muscles de mes jambes. C'est divin. Je le regarde prendre l'eau chaude du bain dans sa bouche et l'expulser sur mon sexe grand ouvert pour le rincer. Ses lèvres sont pleines de savon, celui qui recouvrait ma vulve il y a quelques secondes à peine. Lorsqu'il me mange, son nez s'appuie sur mon clitoris et ses mains caressent mes seins glissants de savon.

Je m'agenouille sur une marche du bain et François passe à l'arrière. Il commence à me lécher les cuisses, puis il passe aux mollets. Il suçote mes orteils un à un, les garde longtemps dans sa bouche ; et moi, je les agite sur sa langue, contre ses dents. Je n'ai jamais pensé que de se faire caresser les pieds pouvait être aphrodisiaque, mais alors que j'agite mes orteils dans sa bouche, je sens monter une nouvelle fièvre en moi.

François remonte lentement vers mon sexe frais lavé. Il m'effleure du bout de la langue, très légèrement, juste pour m'enflammer un peu plus, sans me faire goûter totalement à sa langue de velours. Je grimpe presque au plafond tellement le plaisir est intense. Il reprend le savon et m'en enduit les fesses, il me frictionne l'anus, puis promène la barre tranquillement sur mos dos. Ses mains glissent sur ma peau, partout, sans s'arrêter, et il se presse contre moi. Je n'en peux plus, je veux changer de position, je veux le déguster à mon tour.

– Je veux te sucer, dis-je en haletant, enfin débarrassée de ma gêne.

François prend place sur le rebord et me tend le savon. Je le frictionne entre mes mains avant de le masturber. Ma main droite tient fermement quelques centimètres de sa queue de rêve. Elle est toute glissante et facile à branler. Je lèche doucement le savon qui la recouvre.

Lorsque François est tout propre, je lui prends la main. Il sort du bain sans dire un mot, descend au salon, laissant derrière lui des flaques d'eau un peu partout sur le plancher de bois. L'eau ruisselle sur sa musculature basanée. Je le suis, les yeux fixés sur son corps de rêve et sur ce pénis incroyable.

Il s'assoit confortablement sur le canapé et je m'agenouille devant lui, telle une servante devant son maître. Sa queue palpite, hypnotisante. J'y dépose la langue. Je caresse sa peau fine, chaque renflement, chaque veine. J'ouvre la bouche toute grande pour engouffrer son érection titanesque. Je sens sa queue appuyer au fond de ma gorge. Elle est délicieuse, un goût différent de celle que je suis habituée de manger depuis quatre ans. Elle a une saveur plus subtile, que je ne saurais nommer.

Je me sens un peu malhabile au départ. Je suis accoutumée à Thierry et à son format, alors je dois maintenant apprendre à sucer cette longue verge comme si c'était la première fellation que j'exécutais. François semble toutefois apprécier mes caresses buccales. Ses mains s'égarent dans mes cheveux et sur mon visage. Ses doigts dessinent des cercles autour de mes lèvres, distendues autour de sa queue. Puis j'y vais plus frénétiquement: ma tête s'élève et s'abaisse sur ce merveilleux mât, qui ne cesse de s'allonger. Je caresse ses testicules, doux comme la soie, et je les ramasse dans mes mains pour les brasser comme des dés.

Je suis fascinée par sa taille. Son membre s'avale facilement malgré sa longueur impressionnante. J'embrasse son gland en forme de fraise, je souffle dessus. Je pointe le bout de la langue sur le petit trou au bout de son gland, comme si je voulais m'y introduire. Je parcours ensuite sa verge sur toute sa longueur, dressée pour l'assaut. Mon ventre crie pour le recevoir et je ne peux attendre plus longtemps.

Je cesse de le sucer et je glisse mon corps contre le sien, frottant son membre délectable sur mon sexe brûlant, admirant ses yeux bleus sans prononcer une parole. Je ne peux plus me retenir, le temps n'a plus d'importance. Je dois le sentir en moi, tout mon corps l'appelle. D'une main, je le masturbe, je ne peux me résoudre à lâcher sa verge.

Il est rapidement au-dessus de moi, me domine de toute sa masse. Je passe ma main dans les cheveux soyeux qui auréolent son visage parfait. Il m'embrasse en caressant ma joue avec ses doigts, que je suce lentement ensuite. Puis, il repart à la découverte de mon corps vibrant, avec pour seule boussole sa bouche aimante. Il ne me pénètre pas tout de suite. Il veut faire durer la chose. J'arque le dos comme sa langue glisse sur mon cou, puis sur mes seins excités. Elle effleure à peine mes mamelons, y laisse une trace mouillée. Sur mon ventre, sa langue décrit un cercle de plus en plus petit autour de mon nombril. Je veux la sentir sur mon sexe et je gémis pour le lui démontrer.

Avec cette même lenteur affolante, François poursuit sa descente vers ma vulve. Je surveille sa progression en retenant mon souffle et, en même temps, j'admire sa queue dure, prête au combat. Il s'immobilise à peine à un centimètre de mes lèvres gonflées de désir. Il observe mon sexe s'entrouvrir d'anticipation, il le regarde comme s'il s'agissait d'un bijou précieux.

C'est moi qui pousse ma vulve sur sa bouche, mais il s'éloigne. Il veut me faire pâtir et ça marche très bien. Enfin, il étire la langue et la dépose furtivement sur mon clitoris, le temps d'un souffle. Je pousse un gémissement, mais il continue sa descente le long de mes jambes. Il mord mes mollets, lèche mes pieds et roule sa langue entre mes orteils, ce qui me fait décoller. Ses mains agrippent solidement mes chevilles et écartent mes jambes bien grandes. Sa bouche revient entre mes cuisses. Cette fois, il lèche la peau douce près de mon entrejambe. Je sens son souffle sur mon sexe et j'entends le bruit mouillé excitant que produit sa langue sur mon corps. Je ruisselle dans sa bouche tellement je suis excitée. J'agite les orteils de plaisir, mes chevilles toujours solidement enfermées dans ses mains énormes.

– Fais-moi l'amour, je t'en prie, l'imploré-je en soulevant le bassin, poussant ainsi plus loin dans sa bouche mon sexe palpitant.

Il lâche mes chevilles et je monte sur le canapé, les pieds de chaque côté de ses cuisses musclées. Et là, je m'assois sur son bâton en poussant un long gémissement, une plainte bruyante qui se répercute dans tout le chalet. Il est vraiment énorme et j'ai peine à le contenir. Il me remplit, m'étire. Je me sens pleine, sur le bord d'exploser. C'est la première fois que je suis allumée au point où je sens couler sur mes cuisses ce flot abondant de mon excitation.

Ses mains empoignent solidement mes seins, les écrasant comme des citrons. François mordille mes mamelles tendues à l'extrême. Exactement ce que j'aime, à la limite de la douleur.

Ses dents étirent férocement mes pointes, m'arrachant un cri vif.

– C'est ça... oui! Mords-moi! Tire dessus... plus fort, fais-je d'une voix rauque que j'ai peine à reconnaître.

J'ai des sanglots dans la voix tellement je veux qu'il me caresse. Je savoure cet instant délicieux où, profondément ancrée en moi, sa queue demeure immobile, pour me laisser m'habituer à sa taille. Il ne fait que me remplir à me déchirer! Je contracte mes muscles autour de son jouet fabuleux, espérant ainsi lui faire ressentir ma gratitude.

– Seigneur! Tu es tellement gros... murmuré-je en fermant mes cuisses sur son pénis.

Puis je commence à me mouvoir lentement. Il continue à sucer mes seins, comme un nourrisson affamé. Je les presse entre mes mains pour mieux les pousser dans sa bouche.

Devant le plaisir intense qu'il me procure, je me démène de plus en plus vite, je l'attire plus profondément dans mon antre détrempé. Je me lève, en équilibre sur les coussins du canapé, puis je me rabaisse sur son érection magistrale. Je suis déjà sur le point de jouir. En cinq petites minutes. Je me penche pour l'embrasser, je savoure les frétillements de sa langue dans ma bouche. François se rend compte de mon orgasme imminent et il se retire.

ക്ക ക്ക ക്ക

Je me retrouve en levrette sur le canapé, j'appuie mes coudes sur le dossier et j'offre mes fesses bien relevées. François m'écarte les cuisses et, à ma grande surprise, plutôt que de m'enfiler sa queue par-derrière, il s'agenouille à son tour. Il empoigne mes fesses et les écarte. Il fait la même chose avec mes lèvres roses et lance sa langue pour un autre assaut de mon sanctuaire.

Il recommence donc à lécher mon sexe ruisselant, à y introduire sa langue de feu et j'en redemande. Sa langue remonte ensuite vers mon clitoris, qu'elle effleure et suçote, le tenant prisonnier de ses lèvres pincées. Je suis au bord de l'évanouissement, mes genoux s'entrechoquent. Mais François me soutient, une main à plat sur mes reins, l'autre en coupe sous mon ventre.

Puis, inexorablement, il poursuit sa progression vers mon anus. Il mord mes fesses, lèche et égratigne ma peau. Et là, il lape mon orifice à grands coups et des centaines de terminaisons nerveuses s'emballent. La sensation est indescriptible. Je me tords de plaisir, mais François me tient par les chevilles, me refuse encore tout mouvement. Sa langue effectue de petits cercles autour de mon orifice, sans s'y hasarder. Je me penche un peu plus pour lui ouvrir ce passage, je décontracte le muscle du mieux que je peux. D'une main, j'écarte un peu plus mes fesses pour lui montrer le chemin.

François introduit délicatement sa langue dans mon rectum, m'ouvrant un peu plus, poursuivant cette incursion en territoire inexploré, mais combien sensible. Je crois devenir folle. Il agite la pointe de sa langue dans mon cul, contre les parois, et je dois agripper les coussins de toutes mes forces pour retenir un cri de plaisir. Je me caresse, j'insère un doigt dans ma vulve pendant que François grignote mon anus. Il joint un doigt au mien, dans mon tunnel lubrifié. Je n'en peux plus. Je l'implore de me pénétrer, tout de suite, peu importe le chemin qu'il choisit. Je suis consentante à me faire prendre n'importe où.

– Baise-moi, dis-je, incapable de me retenir plus longtemps.

Il choisit finalement la voie conventionnelle et je retiens difficilement un cri de surprise devant la merveilleuse adresse dont il fait preuve. Sa queue géante glisse en moi, avec un petit chuintement. Il empoigne mes épaules pour mieux m'enfoncer. Il pousse encore son bassin contre mes fesses et je le sens dans toute sa longueur. Je suis toujours prisonnière de ses mains et c'est exquis. C'est un amant chevronné, si habile que j'en ai oublié Thierry et que ce fantasme comporte en fait l'implication de deux hommes. François seul me satisfait.

Maintenant, il me broie le ventre, j'ai l'impression qu'il va me défoncer et c'est inimaginable. J'ouvre les yeux et j'aperçois Thierry qui s'approche. Je l'avais complètement oublié !

⚔ ⚔ ⚔

Un sursaut de remords m'assaille, aussitôt chassé par une vague de plaisir indescriptible. Thierry se tient maintenant devant moi, à me regarder droit dans les yeux, alors que François me martèle avec vigueur à l'arrière, sans y porter la moindre attention. Mon mari est nu, en pleine érection ; sa bite est bien moins spectaculaire que la queue merveilleuse de François.

Je me mords la lèvre pour étouffer mes cris de plaisir. Je ne veux pas jouir ainsi, pas maintenant. Pas devant mon mari, à quatre pattes, comme si je suppliais pour un orgasme, grâce à la queue d'un autre homme. Je gémis et les sons qui sortent de ma gorge ressemblent plus aux piaillements d'un animal blessé. Des larmes coulent sur mes joues, je pleure de plaisir. J'ai un peu honte de réagir ainsi devant Thierry, comme s'il ne m'avait jamais fait jouir et que je connaissais l'orgasme pour la première fois.

Sauf que Thierry ne m'a jamais conduite au septième ciel de cette façon, avec une telle intensité. Je crève tellement de désir pour François que je ramperais par terre pour sa queue. Je suis devenue son esclave sexuelle. Il me fait perdre la tête. Il est parfait: son toucher, ses mouvements, son corps, sa verge, tout est extraordinaire.

François agite son pénis géant en moi d'une telle façon qu'il joue de mon corps comme d'un instrument. Il a une queue formidable, fouineuse, qui gigote dans mon ventre dans tous les sens, découvrant des zones de plaisir jusqu'alors endormies.

Thierry a le visage rouge d'excitation, la respiration courte et un petit sourire figé sur le visage. Il adore me voir pleurer de jouissance, me voir réagir différemment, plus intensément. Le fait de le voir si près de nous, bien bandé et le regard plein de convoitise, provoque en moi une nouvelle bouffée de plaisir. Je me sens désirée, belle, séduisante, très cochonne. J'ai envie de me donner en spectacle à mon mari sans retenue, j'ai surtout envie de rester empalée sur cette queue à jamais.

Je me relève un peu, je le regarde dans les yeux et je pétris mes seins. Je les pince, je les égratigne et je les étire, afin de pouvoir les embrasser et les lécher. Thierry s'avance encore, surexcité. Tout se passe comme je l'ai imaginé. Et encore bien mieux! Je ne sais plus où me tirer. François me pénètre à l'arrière et devant, Thierry ne demande qu'à recevoir à son tour. Je choisis de demeurer avec François bien enfoncé en moi, je ne peux interrompre ses élans. C'est trop bon.

Je me demande si Thierry est jaloux, j'espère même qu'il l'est un peu, que le fait de me voir accouplée avec un si bel inconnu le bouleverse. Il en est visiblement fort excité: sa queue est dure comme jamais et sa poitrine se soulève au rythme de sa respiration saccadée.

Thierry grimpe sur le canapé, il s'assoit sur le dossier et me branle sa queue en plein visage. Je suce la verge de mon mari, les mains posées sur ses genoux. J'utilise mes lèvres, ma langue et mes dents pour exciter son gland. J'y vais avec appétit, ma bouche travaille son membre avec fébrilité. J'assiste à cette contraction de ses couilles et je les agrippe d'une main tremblante. Nos échanges ne sont que sexuels, bestiaux, et le fait de réduire mes ébats au plaisir brut me fait découvrir de nouveaux aspects de ma personnalité. C'est bon de baiser, sans égard à l'amour, juste pour se satisfaire et pour montrer ce dont on est capable. Purement du cul, sans se préoccuper du reste.

Thierry rend les armes plutôt vite. À peine quelques instants et il jouit dans ma gorge. Je surprends son regard ébahi. C'est la première fois que j'avale sa semence, celle de n'importe quel homme d'ailleurs. Et je le fais parce que j'ai décidé plus tôt que je voulais goûter au sperme de François et qu'un tel affront aurait sûrement mis Thierry hors de lui. Comme ça, je suis couverte.

Je me sens perverse. Mon mari découvre, en même temps que moi, ce nouvel aspect de ma personnalité. Thierry reste là, toujours aussi dur, à regarder François me faire l'amour. Je le sors de ma bouche et je caresse ses couilles, ses cuisses, je le lèche au rythme des coups de butoir de François.

Ce dernier porte son pouce mouillé à mon anus, en caresse l'ouverture et le masse, doucement, en l'humidifiant de sa salive. Pendant ce temps, sa queue va et vient en moi, sans relâche, et je le sens se crisper alors que l'orgasme le guette. Tout juste avant qu'il se répande en moi, une onde de plaisir déferle dans mon corps. Des larmes se mettent à couler sur mes joues rougies par le plaisir et je pousse une série de hurlements gutturaux, alors que l'orgasme me secoue comme un pommier en pleine tempête.

Mes genoux me trahissent et je m'affale sur le canapé, incapable de me soutenir plus longtemps, terrassée par la violence de l'orgasme. Mon cri est étouffé par la verge de Thierry, enfoncée profondément dans ma bouche. Je suis secouée de tremblements, j'ai une conscience accrue de cette généreuse queue qui pompe encore entre mes cuisses comme un piston bien huilé.

François vient à son tour, inondant mes cuisses de sa jouissance tiède. Il est encore dur comme le béton et j'ai hâte qu'il me brandisse sa verge dans le visage. Thierry s'étend sur le tapis et je m'assois rapidement sur son érection. Je ressens aussitôt la différence de format entre mes deux amants, surtout en longueur. Je reconnais aussi les mouvements de Thierry, sa façon d'aller et de venir avec délicatesse dans mon sanctuaire. Toutefois, je me sens vide avec son pénis en moi, comme si j'avais perdu une partie de moi-même.

François se tient debout devant moi, alors que j'écarte toute grande ma bouche pour le manger. J'adore sa verge circoncise, exempte de tout poil. J'emploie ma bouche entière à la nettoyer de cette miction composée de sa semence et de mon jus qui font glisser sa queue dans ma bouche. Je m'en lèche les doigts, puis je les porte à ses lèvres. Il les suce, goûtant lui-même à sa propre saveur. C'est terriblement cochon et ça m'excite d'agir ainsi.

Pendant que je cajole la queue de François, j'agite mon bassin sur la verge de mon mari, qui trépide en moi. Je sens le regard de Thierry qui surveille mes moindres gestes et j'en mets pour la galerie. Il a une vue parfaite sur mes seins qui se balancent dans son visage. Il en prend un dans sa bouche, les yeux toujours fixés sur la queue phénoménale que François pompe sans relâche entre mes lèvres étirées, jusque dans ma gorge. Je baisse les yeux vers lui, tout en léchant cette nouvelle verge sur toute sa longueur, puis lapant généreusement ses testicules lisses.

Au bout d'une quinzaine de minutes, François agrippe mes cheveux et se met à trembler. Avec un long soupir, il se décharge lui aussi dans ma bouche, à n'en plus finir. Dix jets tièdes qui coulent à flots dans ma gorge.

Je le garde longuement dans ma bouche, juste à lécher et à savourer sa queue comme s'il s'agissait d'un suçon géant qui devait fondre lentement dans ma chaleur. C'est comme si son membre avait été confectionné pour moi. Je le manipule avec une soif de découverte. J'avale dans ma bouche la queue d'un autre homme, qui m'est à peu près inconnu, pendant que mon mari me démontre son savoir-faire avec ce que la nature lui a légué. Mon excitation envoie des décharges dans tout mon corps, je ne veux pas que ça s'arrête. Je veux que ces deux mâles me fassent l'amour toute la nuit, je veux que mon fantasme se poursuive jusqu'au petit matin.

Finalement, François se retire et s'étend aussi sur le sol. Je me relève et je m'installe à quatre pattes au-dessus de lui, tandis que Thierry se réintroduit en moi, par-derrière cette fois. Alors que mon mari me martèle avec vigueur, François me bouffe la chatte. Il masse du même coup mes gros seins qui se balancent dans le vide. Quatre mains sur moi, deux queues, la langue fébrile de François sur ma cerise et celle de Thierry qui chatouille ma nuque, tout cela pendant qu'il me fouille intensivement. Je n'en peux plus.

— Mange-moi, François... Seigneur, c'est bon!

Un deuxième orgasme me happe avec la violence d'un coup de poing. Je crie mon plaisir, alors que les doigts de François tirent impitoyablement sur mes mamelons, les étirant douloureusement, tandis que sa langue lèche furieusement ma chatte. Thierry jouit également derrière en serrant mes fesses dans ses mains et nous restons quelques instants ainsi prostrés, essoufflés par nos plaisirs.

Je me sens comme le jouet de ces deux hommes, et c'est fantastique. Je me lève, avec une conscience aiguë de ma nudité. J'ai les mamelons rougis par les petites morsures, les hanches et les chevilles aussi, là où les mains de François m'ont serrée comme un étau.

⚘ ⚘ ⚘

Je me rends à la cuisine pour ouvrir une troisième bouteille de vin, puis je rejoins les hommes qui ont gagné le grand bain romain. Je suis en sueur, j'ai les seins endoloris et la vulve en feu, mais je suis encore très excitée. Alors que je m'approche du bain, mes deux amants me regardent avec convoitise. Je me sens désirable. Ils examinent chaque centimètre de mon corps comme s'il s'agissait d'un trésor. Je sais que ce n'est pas terminé, qu'ils n'en ont pas fini avec moi, et ça me va très bien ainsi. Le sperme de mon mari coule sur mes cuisses et je goûte encore celui de François sur ma langue.

Je m'immerge dans l'eau, je me blottis entre les deux mâles et je prends une queue dans chaque main. Je ne couvre même pas la moitié de celle de François, alors que celle de mon mari disparaît presque entièrement entre mes doigts. François s'accroupit au fond du bain. Il veut encore me manger et je pose mes cuisses sur ses épaules. Je pourrais passer la nuit à lui forcer mon bijou dans la bouche. Je ne me fatigue pas de sa langue magique.

Il recommence à me déguster, roule sa langue sur mon clitoris, me pénètre avec de petits coups mutins, puis oriente ses caresses buccales vers mon anus, qu'il lèche doucement en effectuant des mouvements circulaires tout autour. Ses manœuvres envoient des ondes de plaisir dans tout mon corps. François alterne entre ce point hautement névralgique et mon clitoris, qui fond littéralement dans sa bouche.

Attiré par ce manège, Thierry plonge aussi dans l'eau et vient joindre sa bouche à celle de François. J'écarte bien grandes les jambes pour leur faire de la place et de deux doigts, j'écarte mes lèvres enflées pour eux deux. Je glisse un doigt dans mon vagin, alors que leurs langues fourragent tout autour, celle de François dans mon cul et celle de mon mari sur ma cerise.

Thierry se joint à François derrière et ils m'enculent à tour de rôle avec leur langue. J'ai l'impression qu'ils me lavent, qu'ils boivent tout ce que je leur sers. Fébrile, Thierry retourne en avant et, tandis qu'il mange ma chatte, François m'enfile un doigt dans le cul. Je ressens l'intrusion et une vague de plaisirs me submerge alors qu'il pousse son majeur au complet dans mon rectum. Je pousse un soupir interminable, je me sens envahie. C'est extraordinaire!

Thierry me regarde avec intensité pendant qu'il aspire ma chatte dans sa bouche. Il ne rate pas une seconde des expressions de mon visage comme je me fais sodomiser. Je lui ai jusqu'à ce jour interdit cet orifice et voilà que mon partenaire y entre à répétition sans demander la permission! Ma respiration se fait haletante alors que les lèvres de Thierry se resserrent sur mon clitoris et que François redouble d'ardeur dans mon cul. La salive déborde et coule sur mes fesses. Je pousse mon derrière sur son doigt et je suis saisie de tremblements.

– Continue, c'est ça! Mange mon cul!

Sa bouche est maculée du sperme de mon mari. Thierry s'assoit sur une marche du bain et je m'empale vite sur sa bite. Soudée à l'arrière, la bouche de François ne lâche pas mon anus. Je fourre mes seins dans la bouche de mon mari, un à un, puis les deux à la fois, et il les suce pendant que j'agite le bassin sur sa queue. Il tire sur mes deux mamelons, qui s'étirent à vue d'œil, et je grogne de satisfaction.

J'ai une conscience aiguë de la langue de François, qui a maintenant quitté mon anus et qui parcourt mes jambes. Il mord mes talons, tire sur mes orteils. Il revient encore sur mes fesses et je gémis de gratitude. Maintenant, il me prend par les hanches et me force à me relever. La queue de Thierry sort de ma vulve, comme un tire-bouchon. François prend sa place et je souffle alors que je m'assois sur sa verge de béton.

Enhardi par la situation, Thierry se place derrière moi. J'y pense depuis le début: une double pénétration. Très lentement, Thierry pousse son pouce dans mon cul. Je suspends mes mouvements comme son doigt plonge en entier dans mon rectum et que la bite de François me remplit par-devant.

Seigneur! Je les sens tous deux, envahissants, et je sanglote tellement c'est bon. Je sens la queue de François qui m'écartèle, qui frotte sur mes parois. Je m'immobilise et je laisse le soin à mes deux amants de me mettre devant et derrière. Le pouce de mon mari me procure un peu de douleur qui, mélangée au plaisir que m'offre la verge de François, est étourdissante. Tous deux s'activent avec zèle, je suis secouée de toutes parts. Le pouce de Thierry ne me fera pas jouir, mais ses efforts mêlés à la cadence de François me font exploser encore, pour la troisième fois de la soirée. Mes muscles sont épuisés par les spasmes. Mes deux mâles me serrent dans leurs bras. Je suis prise en sandwich entre les deux, comblée et endolorie de partout.

❦ ❦ ❦

Nous demeurons une bonne heure dans le bain à nous caresser, étourdis, savourant le contact de nos corps nus. François m'embrasse dans le cou, inlassablement, et sa tendresse me berce doucement, alors que les relents de mon plaisir s'estompent peu à peu. Mes deux hommes me bécotent, me caressent, titillent ma vulve irritée. Je resterais là des jours, à jouir des attentions de mes deux amants.

Mais François me signale qu'il s'en va. Je le regarde ramasser ses vêtements, que j'ai éparpillés sur le sol dans ma frénésie animale. Il s'habille et j'observe une dernière fois son corps absolument sublime dont j'ai goûté la peau et la queue, maintenant rougie par ses efforts pour me faire jouir. J'ai la vision fugace de François en train de m'enculer avec son gros pénis, et je me dis que j'aurais bien aimé essayer ce nouveau plaisir.

Toute nue, je le reconduis à la porte et je l'embrasse longuement. Je fouille sa bouche de ma langue, pour bien le garder en mémoire, pour me rappeler à quel point il embrasse bien, à quel point il peut me faire réagir.

Ma main glisse sur sa braguette. Merde! j'ai juste envie de le reprendre dans ma bouche, de le sentir en moi. Je songe un instant à lui demander de rester pour la nuit. Je pourrais me blottir entre deux mâles tout chauds pour dormir et, au matin, nous pourrions recommencer. Je pourrais m'offrir sa queue et celle de mon mari pour déjeuner, toutes deux badigeonnées de confitures. Bien plus encore, François pourrait déguster ma chatte et mes fesses enduites de fraises à satiété. Peut-être même que je laisserais mon amant m'enculer, parce que j'en ai vraiment le goût, parce que je suis certaine que malgré les dimensions de sa queue, il ferait ça en douceur.

Mais la raison l'emporte finalement. François doit partir pour ne plus revenir. Parce que j'ai trop envie de lui, parce qu'il me fait oublier Thierry et que je sens le danger de sa présence auprès de moi. Parce qu'il me vient l'idée de faire plein de choses que je n'ai jamais faites.

– Est-ce qu'on va se revoir? Juste toi et moi? hasarde-t-il entre deux longs baisers qui me laissent hors d'haleine.

Je pense un instant à dire oui, à lui refiler un rendez-vous secret. Juste pour recommencer, pour le savourer seule, pour me faire jouir à en devenir folle. Juste pour que je puisse encore me comporter comme une amazone insatiable.

– Non, fais-je finalement en reculant. Ni toi et moi ni nous trois. Merci pour tout. Tu as été fantastique.

Il part et me laisse le cœur gros. Mon fantasme est maintenant chose du passé. Je retourne à la mezzanine. Thierry m'y attend dans le bain, le sourire aux lèvres. Je frissonne et je m'immerge rapidement dans l'eau chaude.

– Merci, mon amour. C'était inoubliable, dis-je en me fondant contre lui.

– Je ne suis pas près de l'oublier non plus. Tu étais si belle, c'est moi qui dois te remercier. Tu m'as fait le plus beau cadeau...

François restera longtemps dans ma mémoire. Il animera ces frétillements au bas de mon ventre et assaisonnera joyeusement mes ébats avec mon mari pour les mois à venir.

ତ୨ ତ୨ ତ୨

Enroulés dans nos serviettes, nous nous endormons sur le lit. Je rêve à François, mon merveilleux partenaire, à sa queue vertigineuse, à son goût dans ma bouche. Je rêve à ces trois orgasmes successifs que mes deux amants m'ont offerts. Pendant près de trois heures, ils m'ont prouvé leur dévotion. Trois fois.

Florence à la crème fouettée

C'est fou tout ce qu'on peut faire avec de la crème fouettée: des gâteaux, des pâtisseries, des parfaits, tout pour se sucrer le bec. Mais moi, c'est sur la peau nue que je la préfère. De la bonne crème fraîche sur une peau chaude et frissonnante, il n'y a rien de meilleur!

Je débute généralement par étendre une couverture sur le sol, juste devant le foyer, si bien que la douce laine est chaude lorsque ma partenaire s'y étend. L'éclairage est juste assez tamisé pour me permettre d'admirer ce que je déguste. Une musique feutrée joue en sourdine, quelque chose de sensuel, qui prête aux pensées grivoises. Bien sûr, elle est nue, et moi aussi. Il n'y a rien de plus excitant que d'observer son corps nu à la lueur des flammes, sinon que de le faire nu aussi.

Dans ma main, je tiens la bombe de crème fouettée achetée la journée même. Je commence généralement par en déposer une fine ligne sur ses lèvres. Je la lèche tout doucement et il ne faut que quelques secondes pour que sa langue se joigne à la mienne. Ensuite, je barbouille de crème son menton, puis sa gorge. Je lèche, puis je suce la friandise, et je sens ma compagne frissonner de plaisir. Je vois même ses pointes se durcir, à mon grand ravissement.

Ses épaules robustes accueillent bien la crème, je dois l'avouer. Et là, je laisse libre cours à mes pulsions, je croque la chair, le muscle, et j'avale toute la crème. Il faut beaucoup de maîtrise de soi pour ne pas aller droit au but, tout de suite. J'ai l'habitude, je sais être patient.

Je saupoudre le bout de ses doigts de crème et je les suce un à un, rêvant déjà du moment où je ferai la même chose avec ses orteils. Ils sont si délicieux. Elle lève les bras et j'asperge ses aisselles. Je les lèche goulûment. Elle adore ça, elle m'a déjà dit qu'elle trouvait ça très cochon.

Je dessine une ligne entre ses seins pesants, et je descends jusqu'à son nombril, que j'entoure de crème. Ma bouche suit scrupuleusement la ligne tracée, se faufilant entre ses gros seins, serpentant son ventre un tantinet rond, pour atterrir sur son nombril mignon.

Je n'oublie pas ses côtes, sensibles à souhait, et je les mange assaisonnées de crème sucrée. Je me rapproche du but, ultime dégustation, mais je prends tout mon temps.

Je la contourne et je dépose la crème tout le long de sa colonne vertébrale, un chemin blanc sur sa peau de pêche qui plonge jusqu'à la vallée de ses fesses rondes. Je mange toute la crème, lentement, et à la minute où mon nez plonge entre ses fesses, dans cette crevasse déjà mouillée de sueur et d'excitation, je reviens devant.

Je laisse tomber un peu de crème sur ses cuisses, ses genoux et ses mollets. Je grignote et je suce, je lèche et je mords, j'embrasse et j'adore. Ses mollets, je les croque à souhait. Puis ses orteils, véritable délice, je les prends un par un, dessus, dessous, entre les deux. Je les suce avec énergie. Les yeux révulsés, elle me démontre sa satisfaction. Je mords ses ongles, je les lèche et je les sèche de cette crème.

J'ose ensuite une expédition près de l'épicentre, là où la cuisse est dodue et brûlante, juste à la jonction du terrain de jeux. Je laisse mon nez effleurer ses lèvres gourmandes, mouillées, odorantes. Mais pas plus. Car je me dirige vers ses seins, deux monts qui ne demandent qu'à être escaladés.

Et comme les montagnes enneigées, je blanchis ses cimes. Il faut beaucoup de crème, ses mamelons sont larges et ses pointes, grosses comme des dés à coudre. Ma langue s'occupe à faire disparaître cette neige artificielle et à exposer ses mamelles rouge sang, succulentes et qui remplissent une bonne partie de ma bouche. À ce point, elle se tord de plaisir. Et il me reste encore plein de crème fouettée.

Je la fais agenouiller, je peux maintenant la préparer au vrai dessert. Lorsqu'elle a les genoux bien écartés, je remplis sa vallée de crème fouettée. Et tranquillement, ma langue se fraye un chemin jusqu'à son petit tunnel serré, que peu de gens pensent à explorer.

Avez-vous déjà goûté un anus féminin? C'est divin. Je dirais même que c'est meilleur qu'une vulve bien humide. Parce que c'est interdit. Et messieurs, dites-vous bien qu'en infligeant cette caresse à votre nouvelle connaissance, il y a de fortes chances que vous soyez le premier à vous aventurer de ce côté. C'est doux, vicieux, énergisant, euphorisant... Imaginez le plaisir de voir votre compagne hésiter, par gêne, à se tortiller lorsque vous glissez votre langue dans son cul. Et surtout, imaginez le moment lorsqu'elle se met à émettre toutes sortes de sons inintelligibles lorsque votre langue disparaît au complet dans son rectum...

Et c'est précisément ce que je lui fais. Car après avoir gobé toute la crème fouettée, je peux maintenant lécher son anus, où un peu de la sucrerie s'est infiltrée. Je n'ai pas le choix, je dois y fourrer ma langue, quand même assez loin. Et je l'entends gémir, pas trop fort car par excès de pudeur, elle ne veut pas montrer qu'elle affectionne particulièrement cette partie de la dégustation.

En fait, tout mon visage disparaît entre ses fesses blanches, et alors que je m'active à dilater son petit trou foncé, je sais que sa chatte déborde d'excitation. En fait, le but de ce cunnilingus anal, c'est de préparer le terrain devant.

Alors je lèche et je suce – ça c'est encore plus cochon – son petit bonbon troué, je le lape avec entrain. Ses fesses sont maculées d'un mélange de salive et de crème fouettée. Mon visage glisse sur ses croissants de lune, ma langue plonge et replonge dans son rectum bien lubrifié, maintenant complètement ouvert à mes pérégrinations.

Mais je dois délaisser son cul, à grand regret croyez-moi, pour me diriger vers le plat principal. Elle est si mouillée que ça coule sur ses cuisses. Elle s'assoit sur l'accoudoir du fauteuil, libérant l'accès à sa chatte pantelante. La crème fouettée se mêle à son jus sucré et je mange le tout en grommelant mon plaisir des papilles. Ses grosses lèvres rebondissent sur ma langue. Je les avale, je les suce avec plaisir.

Son petit clitoris est comme la cerise sur le parfait. Je le chéris tendrement ; lubrifié à la crème fouettée, il fond dans ma bouche. Je pointe ma langue dessus, je le titille, je le savoure. Mon nez s'enfonce bien loin dans son vagin merveilleux, que j'embrasse et dévore de tout mon soûl.

Bien avant qu'elle se mette à haleter, je la sens jouir. Je tiens donc son clitoris entre mes lèvres, bien serré, alors que toute sa chatte se met à frémir. Je la mange dans un dernier élan d'énergie, alors que tout son corps est agité de soubresauts. Et là, divinement, comme elle seule sait le faire, elle éjacule abondamment dans ma bouche. Je reste soudé à sa vulve jusqu'à ce que tout le mélange de son éjaculation et de la crème ait quitté son antre mouillé. Je renifle son odeur, je lèche les pourtours de ses lèvres, dans une ultime caresse, anticipant déjà la prochaine fois. Ce dessert composé de mon épouse exquise, je l'appelle *Florence à la crème fouettée.*

La fille au bikini

Je souffre de qualificatifs pour exprimer à quel point un week-end sans les enfants peut être bénéfique. Nos deux rejetons confiés à la garde de leurs grands-parents, mon amoureux et moi allons à la montagne. Au menu du week-end: excursion en montagne, parties de jambes en l'air à profusion et repos.

Nous avons même prévu faire l'amour en forêt au cours de notre ascension ou de notre descente de la montagne mais, finalement, l'occasion ne se présente pas. Trop de monde, peu de recoins tranquilles, et des jambes en coton. Qu'à cela ne tienne, nous nous reprenons dans l'élégant studio que nous avons loué au gros prix.

ﮩﻮ ﮩﻮ ﮩﻮ

C'est vers les seize heures que nous descendons en maillots de bain au jacuzzi extérieur. La température avoisine les 4 °C, aussi nous hâtons-nous de sauter sous la douche obligatoire, puis de courir jusqu'au jacuzzi, où se prélassent déjà un couple et une jeune femme.

Le soleil de fin d'après-midi frappe nos visages de plein fouet et la chaleur exquise du bain relaxe nos muscles endoloris. Le couple dans la quarantaine sort bientôt du bain fumant. J'examine plus attentivement la jeune femme qui reste avec nous alors qu'elle étire le bras pour saisir sa coupe de vin rouge: jeune vingtaine, cheveux bruns longs, grands yeux bruns, mâchoire volontaire, nez retroussé, yeux foncés. Elle est mignonne et, surtout, elle a l'air sympathique. Seules ses épaules blanches émergent des remous agités du bain.

Nous engageons la conversation, qui porte sur la beauté du site et les délices du jacuzzi. Je suis surprise de voir mon amoureux si volubile, lui qui d'habitude n'est pas particulièrement sociable. J'en déduis donc qu'il trouve lui aussi cette fille jolie. Et il a raison. Au-dessus de nos têtes, les télécabines transportent les derniers visiteurs vers le pied de la montagne. Il fait beau et froid, mais nous sommes bien au chaud dans le bain. Et les enfants sont à la maison avec mes beaux-parents. Quel bonheur!

La jeune femme se présente. Elle s'appelle Simone. Curieux nom pour son âge. Elle doit remarquer notre air ébahi car elle part d'un grand rire.

– Bizarre, non? Lorsque je me présente au téléphone, les gens pensent que je suis retraitée! Pourtant, je n'ai que vingt-trois ans.

Son père est propriétaire d'une chaîne de quincailleries dans les Laurentides et elle commence tout juste à prendre la relève.

– Lorsque j'aurai terminé mon baccalauréat en administration, l'an prochain, mon père me cédera tout. Et dire que je ne connaissais rien aux clous et aux outils voilà encore deux ans!

Nous rions de bon cœur. Un autre couple arrive, bientôt suivi d'un deuxième. Simone se lève et se rapproche de nous. Elle porte un bikini très léger dont le soutien-gorge est noué étroitement autour de son corps par deux ficelles symboliques. Je dois avouer que ses jolis seins ronds retiennent mon intérêt. Lorsque Simone s'assoit de nouveau, elle se penche et sa poitrine ferme tend ces deux petits triangles de tissu noir. Les jets brutaux du bain réussissent à peine à faire frémir ses seins remarquables. Je surprends mon compagnon à les admirer aussi à la dérobée. Comment le lui reprocher? Moi-même je suis un peu hypnotisée.

– ... deux bébés? Ça ne paraît pas du tout. Je serai chanceuse d'avoir ta taille si j'ai aussi deux enfants, me dit Simone.

Nous nous entendons bien, elle est gentille. Je donne un petit coup de coude sous l'eau à mon amoureux et je chuchote à son oreille, tandis que Simone récupère sa coupe de vin.

– Elle est toute seule, est-ce qu'on l'invite à manger avec nous ce soir?

– OK.

– Ça ne te dérange pas?

– Mais non.

Et Simone accepte avec plaisir notre invitation. On se fixe un rendez-vous pour dix-neuf heures, puis je suis mon compagnon dans l'antichambre où un bain à remous intérieur côtoie une douche et un sauna.

– Je pense que je vais enlever mon maillot tout de suite, dis-je.

De l'autre côté de la paroi vitrée, la salle de billard est occupée par deux hommes dans la trentaine. Je me dirige vers le sauna où je serai tranquille pour me changer.

– Ici?, demande mon compagnon avec un sourire, tout en reluquant vers les hommes autour de la table de billard.

– Grand con! m'exclamé-je en ouvrant la porte du sauna.

Il est obsédé par cette idée de me voir baiser avec d'autres hommes, une motivation qui m'échappe totalement. Je ne pourrais pas tolérer l'inverse, alors je ne comprends pas comment il pourrait assister sans broncher à mes ébats avec un autre partenaire.

– Va plutôt dans la douche, me dit-il.

– Trop petit.

Il hausse les épaules et il entre dans le bain à remous, alors que je pénètre dans le sauna. Ce n'est qu'une fois à l'intérieur que je me rappelle qu'il s'agit d'un sauna mixte. Quelle idée ai-je eue de venir me changer ici? Et si un homme entrait? Peut-être que ce serait l'occasion de faire plaisir à mon compagnon... et à moi en même temps! Une petite baise rapide dans un sauna avec un inconnu. Puis je ris. Ce n'est vraiment pas moi!

Mon partenaire est dehors, tout près. Si quelqu'un venait, il m'avertirait sûrement. À moins qu'il ne soit déjà retourné à la chambre. Je retire vivement mon maillot, que je dépose sur le banc de bois. Comme je m'apprête à mettre mon t-shirt, la porte du sauna s'ouvre. Je m'attends à voir entrer mon compagnon, mais quelle n'est pas ma surprise lorsque j'aperçois Simone refermer tranquillement la porte!

Étonnée, elle me regarde et je suis paralysée, toute nue. Ses yeux descendent sur mes seins et j'étire le bras vers mes vêtements. Simone s'avance et saisit ma main. Je suis presque en panique, je ne m'attendais certainement pas à ça. Ses mains se posent sur mes bras déjà en sueur, puis ils glissent sur mes hanches. Elle approche son visage du mien, sa peau est douce. Ses lèvres se posent sur mes tempes, qu'elle baise doucement. Je tourne la tête et nos lèvres se touchent brièvement. À peine un effleurement. Mais ça suffit à propager une série de décharges électriques dans tout mon corps.

Je gémis lorsqu'elle explore mes lèvres et je m'abandonne à sa bouche de velours. Je me presse contre son corps mouillé, ferme. Je presse mes seins nus contre sa poitrine admirable, encore prisonnière du maillot. Elle est douce et dure, voluptueuse et excitante.

Mon cœur cogne dans ma poitrine, mes mains tremblent tellement je suis excitée. J'embrasse Simone passionnément, sa bouche est chaude, sa langue vole sur la mienne. C'est exquis au-delà de ce que les mots peuvent décrire. Alors que ses mains délicates caressent ma peau frémissante, je sens que je mouille abondamment. Je me détache brièvement pour retrouver mon souffle, pour essayer de reprendre aussi mes esprits, mais je me soude de nouveau à elle dans un baiser encore plus fiévreux.

Ses mains se posent avec la plus grande douceur sur mes seins ; elles me chatouillent, me flattent langoureusement. Simone brise notre baiser et lorsqu'elle descend vers ma poitrine, je tiens sa tête pour la guider en soufflant bruyamment.

Simone embrasse mon cou, ses doigts titillent mes seins excités, et bientôt sa bouche se pose sur mes mamelons gonflés à bloc. Ses lèvres possessives se referment comme un étau sur mes pointes dures. Elle passe de l'une à l'autre, les suce, les lèche et les mord. Puis, elle frotte son visage sur mes boules, contre mes mamelons dressés. Mes seins sont si sensibles que je fléchis inconsciemment les genoux.

J'aime tellement me faire manger les seins! Simone s'exécute comme une experte qui connaît la chanson: elle manipule ma poitrine avec amour, tantôt léchant mes aréoles roses, tantôt les caressant entre ses doigts. Elle m'inflige les caresses qu'elle aime probablement recevoir elle-même et ça marche si bien que j'en perds le nord!

Maintenant agenouillée sur le sol mouillé, elle lèche mon ventre rond, alors que ses mains manipulent encore mes seins. Elle les serre comme sa langue tourne dans mon nombril, puis plonge un peu plus bas sur mon pubis. Je me lève sur la pointe des pieds pour rapprocher ma vulve de son haleine chaude. Je veux juste qu'elle me mange, j'ai très envie d'elle.

Je tire doucement sur le nœud derrière son cou et les fines bretelles de son maillot spaghetti se détendent. Je n'ai plus toute ma tête, comme si j'avais fumé un joint et que tout ce qui m'entoure n'existait plus, noyé dans un brouillard épais. Je veux juste qu'elle me fasse goûter aux plaisirs d'une autre femme.

Le soutien-gorge de son maillot tombe sur le sol, la tête me tourne alors que je regarde ses seins nus et blancs qui rebondissent fièrement. Ils sont aussi beaux que je les avais imaginés, insolents et solides. J'ai envie de les manger, mais les manœuvres de Simone sur mon bas-ventre relèguent mes intentions aux oubliettes.

Délicatement, Simone enfouit sa bouche dans ma vulve fraîchement épilée tout spécialement pour ce week-end. J'étais bien loin de penser que la première personne à y mettre son nez serait une femme! Je baisse les yeux pour voir le nez de Simone disparaître dans mon antre détrempé.

Son nez et sa bouche me pénètrent. Simone enserre mes fesses dans ses mains et suce mon clitoris avec cette douceur recherchée que seule une autre femme peut comprendre. Sa langue glisse sur mes lèvres, de bas en haut, puis roule sur ma cerise. Et si ses mains caressent mes cuisses, sa bouche aime tendrement ma vulve. Je saisis mes seins, je les presse ensemble, et je joue avec mes gros mamelons que mon compagnon affectionne tant.

Je soupire, je gémis, je halète. Simone me mange comme personne ne m'a jamais mangée. Elle embrasse mes lèvres gonflées, y frotte son nez souillé de mon jus. Je n'en peux plus, les jambes me manquent, le souffle aussi. J'ai l'impression que ma cerise est grosse comme une pomme tellement j'en ai une conscience aiguë. Elle suce mon clitoris avec une telle délicatesse que j'en tremble de tous mes membres.

Simone m'amène vers le banc de bois. Elle s'y étend et je l'enfourche. Je frotte ma vulve contre la paroi de sa culotte. Je la sens si mouillée, même à travers le tissu. Là, ils sont juste sous mes yeux. Je les touche timidement du bout des doigts. Ses mamelons foncés sont brûlants. Je me penche et je referme ma bouche. Je sens sa pointe sur ma langue, je la suce et ça me donne une impression bizarre. Je mange ses seins un peu comme mon compagnon mange les miens, tantôt doucement, tantôt plus agressivement en mordant ses pointes. Ses seins sont bien ronds dans mes mains. Je les prends et je les soupèse, fascinée par leur forme parfaite.

Puis, je me retourne et je m'accroupis sur la bouche ouverte de Simone. Je frotte mon clitoris sur son menton pendant que sa langue si agile frétille dans ma vulve. J'oscille le bassin sur son visage. Son nez est bien appuyé sur mon anus et sa langue pompe dans mon vagin. Je me sens couler dans sa bouche, sur son menton, et elle boit tout en gémissant.

Je glisse timidement ma main sur sa culotte. Si je lui mange les seins avec appétit, je ne goûterai pas à son fruit. Malgré mon abandon total, je n'en suis pas encore là. Je frotte mes doigts sur le tissu, je devine les formes de sa vulve, sa pilosité.

J'ose, j'en ai envie. Je glisse mes doigts sous sa culotte. Je sens d'abord ses poils rêches, je descends et mes doigts rencontrent ses replis mouillés. À tâtons, je caresse ses lèvres enflées et j'insère mon index dans son vagin. Sa vulve est lisse, douce et ses lèvres gonflées se referment sur mon doigt. Je la sens réagir aussitôt, sa langue fait une pause dans mon vagin, avant de reprendre ses assauts de plus belle.

Je retire mes mains et je ne fais que tenir ses seins, tandis que sa langue m'amène lentement à l'orgasme. Je bouge mes fesses sur sa figure, ça y est! Je ferme les yeux et je me masturbe. Je gémis si fort que je crains que l'on m'entende quelque part. Puis je crie, c'est plus fort que moi. Je me fous bien qu'on m'entende. L'orgasme me secoue, m'ébranle. C'est une suite interminable de courants électriques. J'ai vaguement conscience que la langue de Simone me laboure toujours la vulve.

Repue, je descends de sa bouche et je l'embrasse. Je lèche ses lèvres, son menton, je bois mon propre nectar. J'aime toujours me goûter sur la bouche de mon partenaire. Simone et moi échangeons de longs baisers passionnés avant de nous séparer.

Ma respiration quelque peu apaisée, je me rhabille maladroitement, les jambes rendues molles par les exercices de la journée et par le cunnilingus de Simone. Tandis qu'elle remet ses seins dans son soutien-gorge, je me compose un visage neutre.

Muettes, nous prenons l'ascenseur. Je ris en silence, alors que j'essuie le visage de Simone, barbouillé de moi.

– À ce soir, me dit-elle en sortant au troisième étage.

Je me demande justement ce que la soirée nous réserve. Aurai-je l'audace de me livrer à un autre cunnilingus de Simone? La tentation pourrait être irrésistible. Et puis, je me dis que j'aimerais bien voir mon compagnon la baiser et lui manger les seins. Mais ça restera une image, car il n'est pas question qu'il lui touche.

Il est justement couché sur le lit lorsque je rentre dans la chambre. Il est nu et bien bandé.

– De quoi avez-vous parlé? me demande-t-il, les bras croisés sous la tête.

Je ne pense qu'à me régaler de son érection, mais je me contrôle.

– De tout et de rien.

Il ne soupçonne rien et je décide de ne pas lui relater mon aventure. Pas qu'il aurait été mécontent, mais je préfère garder ces événements pour moi. Je monte sur le lit et je prends son pénis dur dans ma main. Je me mets à le masturber et tout son corps répond à ma caresse. En moins de deux, je suis nue et je me hisse à califourchon sur lui. Ma position favorite. Je m'assois lentement sur sa queue. Je suis encore très mouillée et il ne me faut que quelques malheureuses secondes pour jouir une deuxième fois.

Nous n'avons jamais fait l'amour aussi furieusement que cet après-midi-là. Bien longtemps après mon orgasme, je reste muette. J'essaie de reprendre mes esprits, je sens encore l'haleine chaude de Simone dans ma bouche, sur mes seins et ma vulve. Je regarde mes pointes rougies, là où, il y a si peu de temps, la bouche de Simone me dévorait les seins.

Je me demande si ce soir, après le repas, nous retournerons dans le jacuzzi et le sauna. Probablement. Est-ce que je serai prête à refaire l'amour avec elle? Sûrement. Juste le temps d'une fin de semaine. Après, j'oublierai tout cela. Nous oublierons tout cela.

Je me demande aussi si j'oserai mettre plus que ma main dans sa culotte. Probablement pas. Mais dans le feu de l'action, on ne sait jamais. Peut-être aurai-je le goût de lui rendre la monnaie de sa pièce! Et cette dernière pensée illumine mon visage d'un sourire satisfait.

La culotte

Mon mari et moi sommes de fervents amateurs de camping. Et depuis les trois dernières années, nous sommes libres de nous y adonner en couple, puisque nos trois enfants ont passé l'âge de nous accompagner.

Notre choix s'est porté cette année sur le parc du Mont-Tremblant pour un séjour de cinq jours. Bien installés dans une tente toute neuve, nous profitons pleinement de ces vacances sans les enfants.

La première nuit, comme à l'habitude, nous faisons l'amour en silence, enveloppés dans notre sac de couchage double, à l'affût des bruits extérieurs. Thomas, mon mari, fait relativement bien l'amour. Ce n'est certes pas le meilleur amant que j'aie eu, mais il tire fort bien son épingle du jeu.

Seulement, depuis un an, nos ébats manquent franchement de conviction, si bien que je m'endors sans ressentir la plénitude associée à un orgasme tout à fait satisfaisant. Il manque une touche d'excentricité, d'extravagance, peut-être même de perversion. Mais ce doit être inévitable quand on a le même partenaire durant des années… Il y a un mois, toutefois, je me suis permis une petite escapade, histoire de pimenter notre vie sexuelle. Nous étions aussi en camping…

ঙ৳ঙ ঙ৳ঙ ঙ৳ঙ

Le lendemain de notre arrivée, alors que je songeais à la routine de nos ébats sexuels, je l'ai vu pour la première fois...

En après-midi, nous avions décidé de jouer une partie de volley-ball. Vêtue du soutien-gorge de mon bikini, que j'avais choisi minuscule pour donner plus d'ampleur à ma poitrine, et d'une culotte de maillot nageur, je me suis présentée au terrain de jeux avec Thomas.

Il jouait dans l'équipe B et, dès lors, j'ai su que je voulais faire partie de ce groupe. Thomas s'est enrôlé dans l'équipe A et je me suis présentée aux membres de l'autre groupe.

– Je m'appelle Patricia, dis-je en serrant la main des joueurs.

Lorsque j'ai serré la sienne, je me suis sentie tout énervée. Il avait des yeux captivants, très sombres et mystérieux. Il me regardait intensément, avec cet air de celui qui sait pertinemment bien qu'il plaît aux femmes. Je lui donnais environ 35 ans. Ses cheveux longs noirs étaient noués en une queue de cheval. Ses jambes et son torse musclés, légèrement couverts de poils sombres, attiraient les regards du sexe opposé. Il émanait de lui une impression de solidité, de force et de virilité brutes. Et il le savait parfaitement bien. Un séducteur, un vrai, qui devait aligner les conquêtes comme des trophées.

Je me demandais ce qu'il voyait en moi. J'avais fêté mes quarante ans la semaine précédente. Prématurément gris, mes cheveux coupés très court me donnaient l'air d'un garçon manqué. Grande et longiligne, je présentais des cuisses et des mollets musclés par les randonnées en montagne, alors que mes petits seins avaient provoqué chez mon mari une obsession pour les femmes aux bustes généreux.

Mais lui me regardait avec chaleur. Ses yeux comme des braises avaient quelque chose de très érotique. J'avais l'impression qu'ils caressaient impunément mes petits seins, qui n'avaient jamais récolté autant d'attention.

❧ ❧ ❧

Lorsqu'il frappait le ballon, les muscles de ses bras et de ses jambes se tendaient. C'était tout un spectacle! Lorsque j'étais derrière lui, je reluquais ses fesses fermes, agréablement moulées par son maillot sport. Lorsqu'il faisait un bon coup, il se retournait pour me regarder, faisant fi de mon mari, qui s'amusait de l'autre côté du filet. Sa désinvolture et son air macho m'horripilaient tout en m'excitant. Soit il baisait comme un pied, soit il était un amant extraordinaire. Il ne pouvait y avoir de demi-mesure. Comme la dernière nuit n'avait pas été la plus satisfaisante, j'optais pour la deuxième option, histoire d'alimenter mon fantasme.

Et ce devait demeurer un fantasme. Dans ma vie sexuelle active, j'avais eu une douzaine d'amants dont le même, mon mari, ces vingt dernières années. À cheval sur les principes, je croyais fermement en la fidélité. En plus de m'y appliquer rigoureusement, j'exigeais la réciprocité de mon mari.

Je ne pouvais pas dire que je n'avais jamais eu de pensées sexuelles pour d'autres hommes, parfois même en faisant l'amour avec Thomas. Je me rappelle avoir imaginé un amant brutal, qui aurait déchiré mes vêtements pour me baiser sur le plancher, doté d'un talent indéniable et d'une verge phénoménale. Ces pensées ne causaient de tort à personne et elles me permettaient de mettre du piquant dans nos ébats sexuels.

❧ ❧ ❧

Vers la fin de l'après-midi, les équipes de volley-ball se sont dissoutes et tout ce beau monde a regagné son logis temporaire. Thomas et moi avons mangé sur le feu de bois et avons accompagné un groupe autour du feu en buvant de la bière et en chantonnant au son de la guitare. Mon fantasme ne s'est pas montré le bout du nez de la soirée. Peu avant minuit, Thomas et moi avons regagné notre tente.

J'étais toujours très excitée en songeant à cet inconnu charmant, mais en même temps horripilant. Je ne parvenais pas à dormir, si bien qu'une heure plus tard, alors que Thomas dormait profondément, la bière faisant son effet, je me suis rendue aux toilettes, situées à une vingtaine de mètres de notre tente, vêtue d'une petite culotte, d'une camisole blanche et de sandales de cuir.

Le parc était silencieux ; des éclats de voix fusaient tout de même ici et là, alors que quelques feux encore allumés projetaient leur lueur sur les tentes. Une seule petite lumière éclairait l'entrée des toilettes, mais elle m'a suffi à apercevoir l'inconnu, posté devant l'entrée, occupé à griller une cigarette. Il était encore torse nu, dans une forme splendide.

J'ai baissé les yeux, intimidée, avant de les relever et de planter mon regard dans le sien. Qu'a-t-il vu dans mes yeux fiévreux? Je ne sais pas. Sans m'attarder, je suis entrée dans la salle des toilettes. Les cabines étaient toutes libres.

Ensuite, je me suis examinée dans le miroir, j'ai replacé mes cheveux hirsutes et j'ai fermé les yeux pendant quelques secondes. Il y avait longtemps qu'un homme ne m'avait pas fait cet effet, purement sexuel. À bien y penser, aucun homme ne m'avait jamais causé un tel émoi. J'avais le ventre en ébullition et la vulve en feu.

À ma sortie, convaincue qu'il était déjà parti, j'ai quitté les toilettes d'un bon pas. Mais il était toujours là, un petit sourire ironique accroché aux lèvres, les yeux fixés sur la porte. Il a hoché la tête vers le bois derrière les toilettes et s'est mis à marcher dans cette direction. Il voulait que je le suive, là dans le noir, derrière l'écran de ces arbres touffus. «Pas question!» me dis-je en lui emboîtant pourtant le pas, des papillons dans l'estomac.

ๆ๛ ๆ๛ ๆ๛

Je l'ai trouvé assis sur une roche plate. C'est à peine si je le voyais tellement il faisait noir, mes yeux ne s'étant pas encore habitués à la pénombre. Seule la pleine lune jetait un halo sur la scène.

Le cœur palpitant, incrédule devant ma propre témérité, je me suis placée devant lui. Sans même hésiter, il a relevé ma camisole et l'a fait passer par-dessus ma tête. J'ai levé les bras pour l'aider, en silence, sentant ses yeux de braise sur mes tout petits seins. Son visage était si près que je sentais son souffle brûlant sur mes mamelons excités, tendus comme jamais. Il les a effleurés tout doucement avec son nez, humant le parfum que j'avais déposé entre mes seins.

Je pensais m'évanouir tellement j'étais excitée. Les brindilles et les aiguilles de sapin craquaient sous mes sandales, alors que je piétinais nerveusement le sol. La tête me tournait, je me serais livrée corps et âme à ses caresses.

Il ne me touchait pas encore, du moins pas avec ses mains. Je guettais sans cesse derrière moi, craignant d'être surprise dans cette pose compromettante, vêtue seulement de ma culotte et de mes sandales.

Il m'a attirée à lui. Lorsque j'ai senti ses doigts sur ma culotte, j'ai eu un mouvement de recul. Je ne pouvais pas lui laisser me l'enlever, car je savais qu'une fois cette barrière franchie, il n'y aurait plus de limites. Comme si le fait de garder ma culotte dédramatisait mon geste; comme pour me convaincre qu'en conservant ma culotte, je ne trompais pas mon mari.

– Non, pas la culotte!, chuchotai-je avec la voix rauque, le souffle court, regrettant déjà mes paroles.

S'il me l'enlevait de force, sous la contrainte, et qu'il m'immobilisait pour me baiser, comme dans mes fantasmes, alors ce ne pourrait être de l'infidélité, non? Il s'est levé. Je discernais de mieux en mieux son visage, son torse que j'aurais aimé embrasser. Sans un mot, il a appuyé mes mains à plat sur le rocher. Je lui tournais maintenant le dos. Il s'est mis à genoux derrière moi. «Que va-t-il faire?» me demandais-je.

J'ai sursauté lorsqu'il a roulé sa langue sur le coton de ma culotte. J'ai senti sa salive chaude sur ma vulve. J'ai gémi tout en écartant les jambes. Je me tenais sur la pointe des pieds, sans raison, alors qu'il enfouissait son visage dans ma culotte. Je sentais ses dents frotter doucement contre ma cerise, la bande de coton s'interposant timidement entre les deux. Ma culotte s'imbibait de ma mouillure et de sa salive, alors qu'il me léchait avec appétit. Tous mes sens étaient en alerte, toute mon attention se portait entre mes cuisses.

Je me suis étendue sur la roche basse pour permettre à mon amant de parfaire sa dégustation. Il a redoublé d'ardeur, léchant et suçant mon sexe, toujours à l'abri de la culotte de plus en plus mouillée. J'étais étirée au maximum, les fesses relevées, les cuisses bien écartées, presque comme dans un film porno.

Je sentais mon cœur pomper dans ma poitrine, je percevais l'odeur du bois, le sifflement des moustiques, le ronflement des dormeurs et les murmures des campeurs encore debout. Des aiguilles de sapin s'insinuaient entre mes orteils, qui labouraient le sol humide au bout de mes sandales. Je ne me souvenais pas qu'aucun de mes partenaires ait consacré autant d'attention à mon plaisir exclusif, et sûrement pas avec cette agilité buccale concentrée sur mon bourgeon suintant d'extase.

Mes seins s'aplatissaient sur la roche, alors que je m'allongeais pour lui permettre de continuer sa dégustation. Il a pu ainsi pointer sa langue sur mon petit cercle dilaté, la pousser dedans, la culotte agissant comme un condom mouillé. Il y avait longtemps que ma pudeur n'était plus dans le tableau, et des deux mains, j'ai écarté mes fesses pour ouvrir encore plus grand cette deuxième porte, jusqu'à maintenant fermée à tout visiteur. Mais il y cognait d'une manière si irrésistible que j'ai décidé d'ouvrir, en me demandant furtivement ce qu'il goûtait là, derrière. Ce ne devait pas être si mal car il s'emballait et dévorait mon anus à pleine bouche, tellement que j'ai cru qu'il allait percer ma culotte. J'ai fermé les yeux et gémi plus fort, tandis que sa langue fouillait loin derrière et que ses dents grignotaient mon petit muscle rond.

Il faisait un noir d'encre, et toute mon attention était dirigée sur sa langue, qui poussait toujours plus loin, agressive, osée, déterminée. Il faisait l'amour comme je l'avais imaginé, même encore mieux. La jouissance qu'il me procurait n'avait pas d'égal. Peut-être était-elle même attisée par le caractère interdit de ma position, les fesses bien écartées dans la nature, mes deux entrées livrées en pâture à travers la culotte, gémissant à moins d'une quinzaine de mètres de mon mari ensommeillé.

Jamais sa langue ne touchait ma peau nue, pas même mes cuisses. Il se concentrait sur la culotte, désormais une paroi détrempée, si bien que je n'ai jamais goûté au contact direct de sa bouche. Je sentais ses dents à travers le tissu, sa barbe rêche, ses lèvres gourmandes. Il me léchait avec tant de passion que sa salive et mon jus se mélangeaient sur son menton. Au bout de longues minutes d'abandon, sa langue mutine s'est mise à produire des sons humides retentissants tellement j'étais mouillée. Et il me suçait à travers ma culotte, comme s'il s'agissait d'un filtre. Il buvait mon désir pour lui, il s'abreuvait de mes fantasmes et de mon excitation. Je raclais la roche de mes ongles, secouée par la jouissance, la respiration saccadée.

Puis, il a délaissé mon anus et, tranquillement, il est revenu à l'assaut de mon sexe trépidant. Il dardait sa langue en moi, comme un pénis agité, et je poussais les fesses contre son visage pour le recevoir plus loin, plus longtemps, plus brutalement. Alors que bien des amants n'avaient pu le trouver, il saisissait mon bourgeon entre ses lèvres, à travers la culotte, et le suçait affectueusement comme s'il craignait de le briser. Mais je regrettais aussi son absence derrière.

Cette absence a fait naître un autre fantasme dans ma tête: deux langues bien pendues, l'une devant et l'autre derrière, déliées dans mes ouvertures, affamées de nouvelles conquêtes, goûtant chacune l'exclusivité de mes tunnels accueillants.

Cette image de deux hommes virils me possédant occupait mon esprit comme mon amant doué mangeait ma chatte habillée de coton. L'image est même devenue tellement concrète que j'ai cru qu'elle allait se réaliser.

Je n'en pouvais plus, toute cette attention humide et chaude sur mon clitoris me propulsait vers l'extase. J'ai joui intensément, mordant ma main pour ne pas hurler. Dans ma tête, mes deux amants redoublaient d'ardeur devant et derrière, deux langues plantées en moi et gigotant pour mon plaisir le plus fou. J'ai ri, j'ai pleuré, j'ai secoué la tête. C'était trop bon.

Lorsque j'ai voulu enfin me redresser, mon amant m'a plaquée sur le rocher, m'immobilisant contre ma volonté. «Oh oui! Force-moi! Déchire cette maudite culotte et baise-moi une fois pour toutes!» ai-je songé, en me disant encore une fois que sous la contrainte, je ne pourrais me reprocher mon infidélité.

⚜ ⚜ ⚜

J'ai perçu d'abord le chuintement de son short de nylon sur ses cuisses. Dans la noirceur, je l'ai vu s'avançant nu, son érection levée sur son ventre. Je me suis retournée pour lui faire face, le dos et les mains appuyés sur la roche, le souffle court, voulant protester mais demeurant muette, incapable de lui interdire ce que, dans le fond, je voulais qu'il me fasse. Je fixais son pénis arqué, de pleine longueur, au gland protubérant.

Il s'est alors plaqué contre moi, son torse humide contre ma poitrine, son souffle sur mon visage, sa queue de béton contre ma culotte, qui agissait désormais comme un obstacle indésirable. Il a pris l'élastique de ma culotte à la fois devant et derrière, si bien qu'en tirant, il imposait à la fine bande de tissu un mouvement de va-et-vient sur ma vulve. La culotte de coton s'est mise à frotter sur mes lèvres mouillées, sur mon clitoris aussi, de plus en plus vite alors qu'il accélérait la cadence. J'avais la chatte en feu et plus il tirait, plus la friction devenait insoutenable.

J'étais prête à le supplier de m'enlever cette foutue culotte car je ne voulais pas le faire moi-même, mais je ne faisais que sangloter, encore secouée par l'orgasme, éberluée d'avoir retrouvé le plaisir absolu par la bouche d'un inconnu.

Il a pris mes mains et a rabattu mes bras au-dessus de ma tête. Mes petits seins se soulevaient fébrilement au rythme de ma respiration. Puis, il a enfoui son visage dans ma nuque et s'est mis à onduler le bassin, créant maintenant une friction délicieuse de son pénis contre ma vulve protégée. Je sentais les moindres aspérités de son membre; son gros gland, ses veines, plus bas ses testicules épilés qui frottaient contre ma culotte imbibée de ma saveur. Ma vulve s'est ouverte comme pour l'avaler, mais seul le coton se faufilait à l'intérieur. Son membre était maintenant bien lubrifié. Je ne pouvais pas bouger, ses mains puissantes rabattant les miennes, son torse dur écrasant mes seins.

D'une seule main, il a coincé mes deux poignets et de l'autre, il s'est faufilé entre mes jambes, ses doigts s'insérant sous l'élastique distendu. Pour la première fois, je les sentais sur mes fesses. Il tirait sur le tissu, qui glissait sur ma peau mouillée de sueur. Je respirais si fort que j'avais peur d'éveiller les campeurs à proximité ou, pire, mon mari qui dormait d'un sommeil insouciant, alors que je m'apprêtais à perdre ma culotte, mon seul rempart entre cet inconnu et ma féminité.

Plongeant mes yeux dans son regard sombre, j'ai fait non de la tête même si je voulais tant qu'il déchire ce morceau de tissu et qu'il me prenne de force, là, sur ce rocher rugueux. Il a souri, a immobilisé sa main, ma culotte de guingois à mi-chemin sur mes fesses, quelques poils de mon pubis apparaissant maintenant à ses yeux. Je sentais l'air chaud de la nuit caresser mes grandes lèvres. Plus qu'un petit coup et la culotte roulerait sur mes chevilles, et livrerait à son bon vouloir mon sexe affamé de jouissance.

Mais il l'a plutôt remis en place, de façon cérémonieuse, comme s'il recouvrait l'emplacement d'un trésor caché. Je gémissais en frottant mes cuisses ensemble. J'étais encore si excitée!

– À demain, dit-il d'une voix érotique, en soufflant dans mon oreille.

Il s'est penché pour ramasser son short. Au clair de lune, j'admirais ses fesses très rondes, ses testicules qui battaient entre ses cuisses, sa belle verge au garde-à-vous, surmontée d'un gland énorme.

Il est parti sans un mot de plus.

J'ai attendu quelques minutes avant de retourner à la tente. J'avais besoin de reprendre mon souffle, mes esprits, ma contenance. Je repensais à mon nouveau fantasme – mes deux amants simultanés – et au pénis remarquablement couronné de l'inconnu.

En me faufilant dans la tente, je pestais contre cet homme suffisant, imbu de lui-même, qui tenait pour acquis que je reviendrais le lendemain pour une autre séance de cunnilingus. Pas question!

🙶🙷 🙶🙷 🙶🙷

Je ne l'ai pas revu le lendemain et j'en été soulagée. Je ne sais pas comment j'aurais réagi. J'étais si intimidée par mon geste. Au moins, j'étais parvenue à garder ma culotte, seule défense qui me restait contre ce séducteur. Je pensais à lui pourtant, à sa langue bien pendue, à sa bouche gourmande soudée à ma vulve, à son gland splendide telle une pomme sucrée couronnant sa tige de bois.

Lorsque le soleil s'est couché, je me suis préparée pour la nuit, le cœur battant en sortant de mon sac une culotte propre et une camisole pour la nuit. J'avais beau pester contre lui, c'était plus fort que moi.

– Chérie, tu as remarqué qu'il y a un trou dans ta culotte? demanda mon mari en brandissant sous mes yeux le sous-vêtement.

– Ah oui? fis-je, un sourire aux lèvres, alors que mon Thomas reluquait encore le trou pratiqué aux ciseaux l'après-midi même.

Sans dessous

Au feu rouge, le taxi s'immobilise dans le cri strident de ses freins si cavalièrement malmenés. Bien emmitouflés dans leurs manteaux, l'écharpe nouée avec parcimonie autour du cou, les passants croisent le carrefour d'un pas nerveux, pressés d'arriver à leur destination et de pouvoir se réchauffer un peu.

Camille ne voit rien de tout cela, trop occupée à trouver le bon angle pour que le minuscule miroir qu'elle tient dans le creux de sa main saisisse son visage dans ses reflets. Lorsqu'elle y parvient enfin, elle déplore silencieusement de n'avoir pu faire disparaître les cernes sous ses grands yeux bruns. Mais pour un inconnu qui ignore les mauvaises nuits qu'elle a subies ces derniers jours, ces marques sur son visage pourraient facilement passer inaperçues. Elle doit être parfaite ce soir et voilà qu'elle note déjà un obstacle à cette perfection avant même d'avoir atteint son but. Peut-être pourrait-elle ajouter un peu de fond de teint, sans verser dans l'excès. Mais elle ne le fera pas ici, pas dans ce taxi qui provoque, par ses cahotements, l'instabilité de ses mains et réduit la précision recherchée.

Sa coiffure est réussie, elle ne lui pose d'ailleurs jamais de difficulté. Son visage demande toujours un peu d'attention, l'âge ayant provoqué l'apparition de fines rides et les matins s'avérant plus ardus qu'avant. Mais elle se sait toujours belle et désirable ; les nombreux regards enflammés de l'entourage masculin s'attardant sur son corps l'en assurent. Elle aimerait pouvoir chasser cette nervosité qui la tenaille et s'accroche, qui plante ses griffes dans son estomac retourné par l'angoisse.

Pour une rare fois, elle préférerait que le chauffeur ralentisse et emprunte un détour, sa destination approchant trop rapidement. Les chiffres qui s'égrènent au compteur ne font pas qu'augmenter le prix de la course ; ils marquent son cœur au fer rouge à chaque déclic. Elle pourrait ordonner au chauffeur de faire demi-tour et de la ramener chez elle sur-le-champ. Il n'aurait d'autre choix que de lui obéir. Mais malgré sa grande nervosité, Camille sait qu'en faisant un tel geste, elle regretterait de ne pas être allée au bout de ses désirs. Elle se tait donc, remet le miroir en place dans son sac à main et ferme les yeux, quelque peu abasourdie par son propre courage.

L'idée ne lui est pas venue d'hier, aussi a-t-elle eu tout le loisir de s'imaginer un peu comment elle pourrait réagir ce soir. Le problème, c'est qu'elle ne le sait toujours pas; d'ailleurs, personne ne pourrait prévoir sa propre réaction au stress énorme et à l'incongruité de la situation. Elle sent ces frétillements nerveux jusque dans le bout de ses orteils. Lorsque le taxi s'immobilise enfin devant l'adresse dictée, Camille demeure assise sans bouger, pétrifiée à l'idée d'en sortir pour affronter sa décision.

– Madame? Ce sera douze dollars vingt-cinq. Est-ce que vous allez bien? demande le chauffeur en se retournant, l'air inquiet.

Son intervention la tire de la torpeur. Camille règle la course et ajoute un généreux pourboire. Elle marmonne un merci, pour se retrouver rapidement sur le trottoir où déambulent les silhouettes grelottantes qu'elle a ignorées au feu rouge. L'enseigne aux mille lumières brille de tous ses éclats, transformant la nuit austère en un tableau multicolore.

Le portier de faction la fait entrer sans poser de question, puisqu'on l'a mis préalablement au parfum concernant sa visite. Une musique forte et rythmée l'enveloppe aussitôt que Camille entre dans le club de danseuses nues. Un nuage de fumée flotte au-dessus de la scène où s'exhibe une jeune femme, déjà à moitié dévêtue. Les clients attablés discutent autour d'une bière, la cigarette à la bouche, et se délectent du spectacle.

Camille sent ses jambes se dérober sous elle. Tout cela lui semble si irréel. Au bar, où l'affluence est tout aussi importante, elle reconnaît le propriétaire de la boîte, un ami de longue date de son mari.

– Camille! Tu es donc venue, mon chou! Regarde-toi, tu es superbe! fait-il encore en écartant une mèche blonde du visage de Camille. (Il l'embrasse sur la joue, nul doute dans son esprit qu'elle fera fureur.) Je t'ai toujours su courageuse, mais j'avoue que je n'étais pas convaincu que tu trouverais la force de venir ce soir.

– Moi non plus, à vrai dire.

Sa voix est chevrotante, il lui faut faire un effort considérable pour aligner deux mots.

– Viens par ici, je vais te montrer où tu peux te changer. Ils t'adoreront, j'en suis persuadé. Ils ne pourront faire autrement.

Il la conduit dans une pièce sombre. Des centaines de costumes y sont entreposés, enveloppés de housses de plastique transparent. Le sol est recouvert d'une belle moquette. Au fond, deux fauteuils gisent devant un grand miroir.

– Comme je te l'ai dit la semaine dernière, c'est à ton choix. Tu montes sur les planches dans une heure environ. Essaie de prendre ton temps, de te calmer aussi. Je te sens très nerveuse. Tu verras, tout ira bien. Quel nom dois-je annoncer? As-tu choisi un pseudonyme?

– Je préfère Camille, parvint-elle à articuler. Je veux qu'ils me connaissent telle que je suis.

– Ça me va. Essaie seulement de ne pas choisir un costume trop fourni, sinon ça deviendra trop long à enlever. À tout à l'heure.

C'est facile à dire pour lui, ce n'est pas lui qui se dévêtira en public! Instinctivement, Camille tourne le loquet de la porte. Sa pudeur a quelque chose d'ironique puisqu'elle sait que, dans tout juste une heure, toute inhibition n'aura plus sa place.

୶ ୶ ୶

Camille ne met que quelques minutes à choisir son costume. Elle revêt une redingote noire, à revers de satin, sous laquelle elle porte un plastron blanc orné d'une rangée de boutons de feutre noir. Ses seins oblongs menacent de surgir sur les côtés, aussi serre-t-elle plus fermement son plastron sur son corps.

De fausses manchettes d'un blanc immaculé couvrent ses poignets, alors que ses mains disparaissent dans de courts gants blancs. Ses longues jambes nues sont rehaussées par des souliers à talons hauts. Seul un court short de suède noir habille le bas de son corps ; elle l'a tiré d'un autre costume, car elle n'a pu se résoudre à porter seulement la petite culotte très échancrée prévue au costume original. Un chapeau haut-de-forme et une canne à pommeau doré complètent l'élégant costume. Camille ajuste le nœud papillon autour de son cou. Ses cheveux contrastent violemment avec le sombre couvre-chef ; un ange ne pourrait avoir les cheveux plus blonds!

Camille s'applique une généreuse couche de rouge à lèvres, qui rend sa bouche sulfureuse. Elle a provisoirement relevé sa chevelure sous le chapeau, pour dégager sa nuque et paraître plus grande. Une nuque dégagée lui donne une grâce féline. Dès qu'elle enlèvera le haut-de-forme, ses cheveux jailliront dans une jolie cascade maïs.

Environ quarante-cinq minutes se sont écoulées depuis que Georges, l'ami de son mari, l'a laissée à elle-même. Il doit être sur le point de revenir la chercher, pour ensuite la présenter aux spectateurs. Elle se remémore, sourire aux lèvres, la réaction interloquée de Georges lorsqu'elle avait communiqué avec lui. Après qu'elle lui avait dit ce qu'elle voulait qu'il fasse pour elle, Georges avait répliqué exactement ce à quoi elle s'attendait.

– Est-ce que Pierre est au courant?

– Mon mari n'a pas à en être informé. C'est un désir personnel, je m'adresse à toi en tant qu'amie. Si je ne suis pas assez bien foutue...

– Ce n'est pas cela! avait-il riposté. Tu peux passer la semaine prochaine, je te ferai une place entre deux spectacles. Tu n'auras qu'à m'appeler la veille de la journée choisie.

Et elle est là maintenant, à se morfondre dans l'attente de ce qui pourrait fort bien être un des moments les plus intenses de sa vie. Elle ne se rappelle pas avoir été aussi énervée de toute sa vie. Camille entend des pas s'approcher, avant de voir la tête de Georges apparaître dans le cadre de la porte.

– Tu es prête, à ce que je vois. Tu as fait un excellent choix de costume. Tu vas faire tout un malheur!

Il l'embrasse sur la joue.

– Tu es brûlante, tu es certaine que ça va?

– Un peu nerveuse, c'est tout.

Ils gagnent les coulisses. Georges lui indique une chaise en arrière-scène, d'où elle peut bénéficier d'une vue globale sur la salle mais aussi sur la scène, tout en demeurant invisible pour ceux qu'elle observe.

– Tu es la suivante. Lorsque je te présenterai, tu n'auras qu'à monter sur scène et la musique que tu as choisie se mettra à jouer. Bonne chance!

Camille reste seule avec son angoisse, n'osant pas s'asseoir de peur de ne plus pouvoir se relever. L'attente est intolérable. Elle voit cette jeune fille, à peine majeure, se tortiller sur la scène, au bon plaisir des clients attablés, et se refuse de croire qu'elle ira prendre sa place au moment où la musique se taira. Camille voudrait que la pièce musicale ne finisse jamais, que le chanteur entonne inlassablement le refrain. Elle se sent encore une fois dans un rêve, prise dans la tourmente de son fantasme délirant, mais le costume est bien vrai ; le frottement de ses seins contre le plastron le lui prouve sans l'ombre d'un doute. Et ses souliers à talons hauts lui occasionnent un mal inimitable.

Camille observe la jeune danseuse à la fois pour valider ses mouvements qu'elle a répétés, mais aussi pour comparer son corps jeune et ferme au sien. Elle ne trouve pas de motif à se sentir complexée. Même que son corps et ses courbes, par leur maturité, produisent un charme sensuel que n'a pas la jeune fille. La pratique lui a appris que les hommes préfèrent toujours le corps bien conservé d'une femme mature à celui moins expérimenté d'une débutante.

Le trac accablant retourne son estomac. Les larmes menacent de jaillir à tout moment. Camille connaît bien l'état dans lequel elle se trouve: l'excitation pure. Elle passe sa langue sur ses lèvres sèches, malgré le rouge à lèvres. Elle ajuste une autre fois ses cheveux sous le chapeau. Elle veut qu'ils la trouvent belle, qu'ils aiment son corps et s'en régalent ouvertement. Elle veut impressionner par la sensualité de ses mouvements, par l'arrogance de son regard. Elle veut que les hommes présents se meurent d'envie de la prendre après le spectacle et de lui faire l'amour, tantôt sauvagement, tantôt tendrement. Elle veut leur faire vivre leurs fantasmes les plus débridés, tout comme elle s'apprête à vivre l'un des siens. Elle veut les voir fondre devant les courbes de son corps, les savoir se durcir à la seule pensée de la posséder... si elle trouve le courage de monter sur les planches.

Il faut qu'elle y aille, elle ne doit pas laisser s'enfuir cette chance. Elle n'a pu trouver le sommeil ces dernières nuits tel-

lement son rêve était devenu obsédant. La différence fonda-
mentale entre elle et les autres femmes, c'est qu'elle actualise
son fantasme le plus osé. La griserie qui en résulte est indescriptible.

Camille essuie ses paumes moites sur la redingote, mais
elle ne peut empêcher ses genoux de s'entrechoquer. Elle
ferme les yeux. Dans un peu plus de vingt minutes, tout sera
terminé. Elle pourra enfin respirer à son aise. Pour l'instant,
un poids énorme pèse sur sa poitrine, opprime sa respiration
et déstabilise l'ordre de ses pensées. Jamais elle n'a été aussi
nerveuse, pas même le jour de son mariage.

Elle se sent comme une adolescente à la veille de faire
l'amour pour la première fois. C'est pourtant loin d'être son
cas. Elle ne compte plus qu'en qualité le nombre de ses conquêtes. Elle se félicite d'être cette femme libérée, ouverte
aux nouvelles expériences et orgueilleuse des fréquentations
qu'elle accorde à son corps ravissant.

Son choix d'épouser Pierre s'est avéré le bon. Il partage
ses convictions et son appétit sexuel varié. Leurs goûts diffè-
rent parfois légèrement, mais ils finissent toujours par se rejoindre et par s'entendre sur la manière d'actualiser leurs idées.
Elle le sait toujours aussi fier de son corps, qu'elle entretient
avec grands efforts. Toutefois, elle comprend qu'il puisse apprécier la variété. L'inverse est aussi vrai. Leur consentement
mutuel à vivre ces expériences solidifie la base de leur couple,
sans toucher à l'amour véritable qu'ils éprouvent l'un pour
l'autre.

ᐁᐅ ᐁᐅ ᐁᐅ

Le numéro de la jeune fille tire à sa fin, la musique bat son
plein pour saluer sa sortie. Camille s'examine une dernière
fois dans le miroir: elle ajuste le plastron sur ses seins et les
manchette décoratives. Sa lèvre inférieure tremble de légers
spasmes ; elle doit la mordiller pour en stopper les soubresauts.

Le volume de la musique rock diminue, la danseuse se retire derrière le rideau qui s'abaisse, sous les applaudissements nourris des spectateurs. Lorsque le lourd rideau touche le sol, la jeune fille se dirige vers Camille, un bras croisé sur ses seins.

Camille inspire profondément, puis elle grimpe les quelques marches qui mènent sur la scène, les jambes flageolantes. En la croisant, la jeune danseuse lui administre une tape sur la fesse, en guise d'encouragement. Elle sait visiblement que ce n'est pas une habituée qui la succède sur scène. Camille ne tient plus en place. De l'autre côté du rideau abaissé, la rumeur des conversations s'amplifie. Camille perçoit nettement l'odeur de cigarette qui s'immisce sous la tenture. Elle a maintenant hâte que Georges appelle son nom ; l'attente est beaucoup trop angoissante pour ce qu'elle peut supporter.

Une voix masculine, qu'elle reconnaît comme étant celle de Georges, la présente au micro, se permettant de traîner sur son prénom, d'un ton qui frise le ridicule. Camille sursaute lorsqu'on actionne à distance le mécanisme d'ouverture du rideau, au moment où la pièce instrumentale qu'elle a préalablement sélectionnée se met à rugir, et qu'elle jouera ainsi pour les dix-sept prochaines minutes.

Les nombreux projecteurs, tous blancs, l'éblouissent pendant quelques secondes. Elle n'a pas voulu qu'on utilise les faisceaux de couleur : elle désire que les spectateurs s'abreuvent de son corps au naturel, sans artifice. Elle ne peut ignorer à travers la fumée ces dizaines de visages unanimement tournés vers elle, qui attendent avec impatience qu'elle s'exécute, curieux de découvrir ce que cache ce joli costume. Ils peuvent déjà apprécier ses longues jambes nues, savamment dévoilées par le short court.

Camille s'avance sur la scène en se dandinant. Ses mouvements lui paraissent d'abord saccadés, dénués de grâce et d'aisance. Elle est tout de même accueillie par les cris enthousiastes et les sifflets perçants des clients regroupés en demi-cercle autour de la scène. Leur engouement dissipe ses derniers doutes, et cette nouvelle assurance lui procure la souplesse désirée, la poussée d'audace qui lui permettra de se dévêtir.

Camille se laisse envahir par la musique en se déplaçant jusqu'au bout de la scène, qui s'avance à travers les tables occupées. Elle veut ainsi se retrouver plus près de ceux pour qui elle s'exécute, pour qu'ils puissent admirer de près les courbes de son corps et son jardin secret, une fois qu'elle se sera départie de son costume de spectacle.

Elle veut qu'ils la voient dans toute sa splendeur, qu'ils scrutent chaque menu détail de son anatomie et qu'ils mémorisent chacune des parties normalement cachées, effacées aux yeux de tous les jours. Elle veut qu'ils l'évaluent, que chacun d'eux puisse apprécier sa nudité et la sensualité de ses mouvements. Les doutes sournois qu'elle éprouvait sur sa propre beauté, sur ses capacités à plaire à son auditoire, se sont évanouis.

Camille dispose d'abord des manchettes, puis de la redingote, qu'elle laisse glisser avec une lenteur toute langoureuse sur ses bras nus, sous les acclamations bruyantes des clients. Le vêtement se retrouve sur le sol, et elle l'écarte du pied sur le côté. Un courant d'air caresse son dos découvert. Lorsqu'elle danse, ses seins menacent encore de s'échapper du plastron.

Camille envoie valser ses talons hauts pour se retrouver pieds nus sur la scène. Le carrelage du sol est froid, mais elle se sent beaucoup plus à son aise pour danser sans ses souliers.

Quelle serait la réaction de son mari s'il était là, dans l'assistance? Il crèverait d'excitation à voir sa tendre épouse s'offrir aux yeux de tous ces hommes. Sauf que cette fois, il ne fait pas partie de son fantasme. Au contraire, il doit être absent pour qu'elle puisse sentir au maximum cette impression d'abandon et d'insécurité. Il ne doit y avoir aucun visage familier, sinon son plaisir de se déployer pour de purs inconnus serait gâché.

D'un large mouvement des bras, destiné à capter l'attention déjà intense des spectateurs, elle défait l'attache qui maintient le plastron sur sa poitrine. Camille continue de le maintenir un moment, en le pressant contre sa cage thoracique. Plusieurs hommes se sont avancés sur leur siège. Ses déhanchements obscènes ne manquent pas de les émoustiller, mais ils veulent surtout l'admirer sans son plastron. Elle le lance finalement parmi les spectateurs.

Habilement, Camille masque aussitôt ses seins en les prenant dans ses mains, pour ajouter à l'anticipation peinte sur tous les visages. Ses mains n'arrivent toutefois pas à en abriter toute la rondeur: entre ses doigts pointent ses mamelons. Elle danse un moment ainsi, se délectant du contact de ses propres mains sur sa peau de pêche.

Puis ses doigts révèlent complètement ses aréoles roses et larges. Quelques exclamations ravies marquent finalement le dévoilement de ses seins dressés, tendus par le courant d'air qui fait frémir leurs longues pointes. Camille glisse ses doigts gantés tout autour, elle frotte doucement les aréoles pour faire dresser davantage les bouts très durs, excités par tant d'attention.

Libres et fiers, ses seins remuent divinement au rythme de la musique, sous les regards enchantés de quelques femmes et des hommes assis autour de la scène. Une fois l'attache défaite, le short se retrouve vite autour de ses chevilles. Il prend finalement la même direction que le plastron et un homme grisonnant se lève pour l'attraper.

De son costume, seuls la petite culotte noire et les gants blancs ont survécu à la séance musicale de déshabillage. Elle n'aurait jamais cru pouvoir y arriver, mais elle se trouve bien là, à demi nue, ondulant des hanches pour le plaisir visuel de parfaits inconnus.

Ses seins et ses jambes constituent sa fierté. Ses seins demeurent jeunes mais recèlent cet aspect de lourde maturité qu'affectionnent les hommes. On n'a pas à les prendre dans ses mains pour constater leur robustesse et leur soutien. Un seul coup d'œil suffit pour s'acquitter de cette heureuse tâche. Les hommes les prennent et les embrassent pour le plaisir, ils les serrent et les cajolent dans un pur émerveillement, autant de compliments muets qu'accepte Camille avec gratitude. Elle aime l'atout que lui confèrent ses longues jambes. Elle les exhibe à grands renforts de jupes courtes, de robes et de collants aux genoux, qu'elle se refuse de céder exclusivement aux plus jeunes femmes.

La naissance de ses cheveux blonds est désormais mouillée d'une sueur froide, attribuable à sa nervosité, mais aussi aux mouvements violents de sa danse. La petite culotte constitue l'étape la plus difficile, la plus impudique de l'exercice. Camille a retardé le plus longtemps possible le moment si vivement appréhendé, celui de s'en départir, mais elle doit finalement s'y résoudre. Elle doit se débarrasser de la protection bienveillante qu'elle lui offre, de cette dernière touche d'intimité qu'elle lui assure. On lui a recommandé de fixer son regard sur une seule personne, si elle commence à ressentir une panique paralysante. Elle aura ainsi l'impression de ne danser que pour cette seule personne.

Ses yeux s'accrochent donc à ceux d'un homme d'une trentaine d'années, assis au tout premier rang, tout juste en bordure de la scène. Il la couve du regard ; ses yeux bleu azur apaisants se gavent de son corps nu.

Camille introduit d'abord ses pouces gantés sous la mince bande élastique noire qui s'accroche sur ses hanches. Elle l'étire jusqu'à ce que la bande de coton ne couvre plus que ses lèvres gorgées d'humidité. Sa toison pubienne apparaît un peu sur les côtés. À l'arrière, la bande de coton a disparu entre ses fesses rondes. Plusieurs hommes se redressent, heureux qu'elle en arrive enfin au clou du spectacle, le moment le plus intense et impudique, celui où la danseuse s'offre sans retenue.

Camille vit des sentiments mitigés. Elle est grisée de s'exhiber et de danser ainsi, mais elle a l'impression étrange de transgresser à des règles de moralité établies, de défier ses propres valeurs. Même si la salle ne contient qu'une centaine de personnes, Camille a l'impression de danser pour le monde entier, elle sent que chaque homme connaîtra désormais son corps dans ses moindres détails.

Camille se sent aussi utilisée par des individus qui n'hésitent pas à payer pour la voir déployer ses charmes et étaler sa nudité pour leur plaisir personnel. Elle tourne le dos à son auditoire, les jambes jointes hermétiquement pour prolonger l'attente. Ses pouces abaissent enfin la culotte, lentement, jusqu'à ses chevilles. Puis elle écarte les jambes à nouveau ; ainsi penchée, elle leur révèle son fruit défendu, couvert de moiteur.

Elle ne se soucie plus de la musique: son corps y répond instinctivement, se balançant au son des notes. Camille se retourne pour faire de nouveau face à son auditoire ; elle cherche ces yeux bleus qu'elle a aperçus à peine quelques secondes plus tôt. Ils sont toujours là, intenses. Elle se sent comme un objet sous la lunette grossissante d'une loupe, dépouillée de sa pudeur. Elle s'offre gratuitement, sans protection et sans inhibition, dévoilant tous les charmes de son corps nu.

La tête lui tourne juste à penser qu'elle fait là ce que maintes femmes méprisent, par son caractère jugé vulgaire et pornographique. Ce type de danse n'a rien de vulgaire à ses yeux. Bien au contraire, cela souligne la beauté du corps féminin, la grâce et l'allégresse dont il est tributaire.

La vue que détiennent les spectateurs, dont l'homme aux yeux bleus, intimide Camille. Elle se retrouve surélevée, tous ces visages à la hauteur de ses genoux. Ils bénéficient donc, d'un point de vue de choix, sa vulve. Ils doivent constater qu'elle est excitée et que, déjà, les poils fournis mouillent ses cuisses. Elle n'a jamais imaginé qu'elle se sentirait aussi dépouillée! Elle a même l'impression d'asseoir sa vulve sur tous ces visages.

Ses poils pâles se hérissent sur ses bras. Il est si exaltant de sentir tous ces yeux assoiffés rivés sur ses seins, ces bouches avides se délectant déjà de son sexe mouillé. Puis, Camille imagine des amis, hommes et femmes, qui pourraient se trouver par hasard dans le club et la voir. Des amis qui ne connaissent rien de son tempérament fantasque. Elle ne le croit pas possible, mais elle en est encore plus excitée: l'idée qu'ils découvriraient une femme toute autre que ce qu'ils se sont imaginée est délicieusement perverse.

Camille se dirige d'un pas dansant jusqu'à l'homme aux yeux bleus. Elle le dévisage pendant un long moment, lui offrant une vue privilégiée sur l'entrée de son royaume. Puis elle pose un pied nu sur son épaule et chatouille son cou puissant de ses orteils froids. Elle aurait préféré les lui mettre dans la bouche, du moins en partie, pour qu'il les déguste amoureusement, avec douceur. Mais elle sait que ce serait aller trop loin. En pratique, elle ne doit pas toucher les clients, tel est l'avertissement que lui a servi Georges ainsi que quelques danseuses désireuses de se montrer aimables. Mais c'est son désir qui l'emporte finalement sur les règlements.

Camille s'agenouille ensuite et présente son cul à quelques centimètres seulement de ces yeux bleus. Elle a envie de le presser très fort contre sa figure, pour que l'homme puisse explorer ses moindres secrets, pour qu'il puisse titiller de son nez l'amas de poils dorés qui y poussent. Elle sent sur sa vulve entrouverte le souffle chaud de sa respiration courte et excitée. Elle se sent fiévreuse, brûlante à l'intérieur, congelée à l'extérieur. La seule façon de communiquer la chaleur de son esprit et de son cœur, c'est par la danse.

En agitant les fesses toujours aussi près de son visage, Camille plonge un doigt en elle. Seigneur! Elle ne mettrait pas longtemps à venir, elle serait plus que prête à recevoir un homme, à sentir sa queue fringante écarter les lèvres de sa vulve. Elle porte ensuite le doigt à ses lèvres et l'introduit dans sa bouche. Elle le suce longuement en balançant ses hanches langoureusement. Elle est satisfaite de découvrir les visages se tordre littéralement de plaisir, juste à la voir se goûter ainsi.

Devant ce succès, elle recommence, se servant de deux doigts cette fois. Camille frémit encore lorsque ses propres doigts la pénètrent, puis elle les suce tous les deux. Ses lèvres et le contour de sa bouche affichent les traces de son excitation comme si, maladroite, elle avait laissé s'échapper de l'eau en buvant.

Camille lèche le pourtour de ses lèvres avant de s'allonger sur la scène. Quelques hommes se lèvent pour ne rien manquer. Elle s'étend sur le dos, les jambes bien étirées sur chacune des épaules de l'homme aux yeux si bleus, sa vulve humide à quelques centimètres de son visage. Elle se tortille lentement, arque le dos pour mimer l'orgasme. Son corps est brûlant de passion, avide de caresses. Elle s'imagine étendue sur une table, nue et écartée. Des grands, des petits, bien pourvus ou moins gâtés, mais tous ardents et désireux de l'amener à l'orgasme, se relaient entre ses cuisses. Ils alternent jusqu'à ce que l'épuisement ait raison d'elle, jusqu'à ce que les plaisirs accumulés l'amènent dans un état près de l'inconscience satisfaite.

Quelques applaudissements bien placés la ramènent à la réalité de la scène. Camille reporte son attention sur les mouvements qu'elle impose à son propre corps obéissant et aux yeux bleus admiratifs qui ne manquent pas une seule seconde, bien braqués entre ses cuisses. Elle aimerait voir cette bouche gourmande à l'œuvre sur sa vulve brûlante ; elle aimerait s'ouvrir à ces belles lèvres sensuelles pour laisser une langue de velours fouiller librement les replis de son vagin détrempé.

«Vas-y! pense Camille. Juste un petit baiser à la volée, tu verras que je suis mouillée pour toi. Ce serait si bon de sentir ta langue frôler l'entrée de ma vulve, glisser entre mes fesses, puis revenir hanter mes lèvres gonflées de désir, prêtes à avaler ta queue. J'en meurs d'envie.»

Camille utilise la canne pour mimer une fellation, avant de la porter entre ses jambes et de la frotter doucement contre sa vulve mouillée. La musique se termine sur un rythme endiablé ; elle doit donc quitter son poste sur les épaules de l'homme. Il lui frôle la cheville du bout des doigts lorsqu'elle retire sa jambe. C'est comme si une langue de feu, animée par un courant électrique, l'avait touchée.

Camille recule sur la scène, ne cessant de dévisager ces beaux yeux bleus. Son corps en sueur répond parfaitement à l'agressivité des notes, comme si la musique jouait au fond de son être. Elle ne fait plus qu'un avec la cadence intense de la pièce instrumentale.

Lorsque la musique se tait enfin, le rideau s'abat sur la scène, créant entre elle et les spectateurs un mur noir infranchissable. Des voix fortes et insistantes scandent toujours son nom, si bien qu'elle écarte le rideau et court jusqu'au bout de la scène, où elle fait une courbette de reconnaissance pour les vives sensations qu'ils lui ont fait vivre. Camille en vibre encore lorsqu'elle se glisse dans les coulisses.

La danseuse qui exécute le numéro suivant lui remet une culotte sèche et une camisole aux couleurs du club. Camille les enfile sans hâte, désormais indifférente à exhiber son corps nu. Même qu'elle aurait aimé poursuivre, ressentir l'excitation continue de la caresse des yeux baladeurs sur ses courbes féminines.

— Camille, tu as été formidable! Je t'engage, tu peux commencer sur-le-champ, s'enthousiasme Georges, qui accourt vers elle.

Il la serre dans ses bras.

— Je préfère garder mon emploi, Georges. Je te remercie pour l'offre.

Camille est assoiffée. Elle se dirige sans plus attendre vers le bar. Plusieurs clients la félicitent et la complimentent. Le feu brûle toujours en elle. L'homme aux yeux bleus est déjà installé au bar, comme s'il savait qu'elle allait s'y présenter. Sa bouche est encore plus excitante ainsi vue de près, prometteuse de plaisirs qu'elle ne peut ni ne veut se priver.

– Puis-je vous offrir quelque chose? demande-t-il d'une voix polie.

– Peut-être bien.

– Une bière alors?

– C'est un début, rétorque Camille d'une voix suave.

Ses yeux bruns s'accrochent et se noient dans cette mer bleue. Son beau sourire offre à Camille la réponse qu'elle attendait. Ce n'est en effet qu'un début. Elle continue de sourire, elle n'avait pas prévu une fin comme celle-là.

– Vous êtes danseuse depuis longtemps?

– Vous ne croirez jamais mon histoire, s'esclaffe Camille en touchant son bras.

Elle finira de la lui conter sur l'oreiller.

Fenêtre sur la ville

L e restaurant bourdonne d'activités. Dans le grand miroir derrière le bar, j'aperçois le sourire ravi qui fend mon visage. Je dirais presque un sourire niais.

– Je n'arrive pas à y croire! Tu l'as vraiment fait...

– Et c'était fabuleux, dis-je, le sourire dans la voix.

Véronique s'enfile une rasade de Tia Maria avant de demander un autre verre au serveur. Nous attendons de nous voir assigner une table dans un pub du centre-ville. La journée de travail a été longue et ardue, et l'alcool coule merveilleusement bien dans nos gosiers. Dehors, il neige à plein ciel et le vent pousse les lourds flocons contre les vitrines qui donnent sur la rue Saint-Antoine.

– Et tu ne l'as pas revu?

– Non.

Véronique tique devant mon laconisme volontaire.

– Et tu n'as pas eu envie de le revoir?

– Je n'ai pas dit ça. C'est justement ce qui met du piquant dans l'affaire.

Il m'a fallu trois mois avant que je me décide à parler à ma meilleure amie de l'actualisation de mon fantasme. Depuis ce fameux soir, Thierry et moi faisons l'amour avec une passion renouvelée. Certaines fois, il semble qu'il n'y a pas de limite à notre plaisir.

– Comment était-il? Raconte, insiste Véronique, suspendue à mes lèvres.

– Il était parfait. Musclé, basané, beau comme un dieu. Et il avait une de ces queues... longue et dure comme le béton! C'était incroyable: il ne débandait pas, peu importe ce que je lui faisais! Je suis certaine qu'il aurait pu me faire l'amour toute la nuit.

– Pourquoi tu ne l'as pas fait?

– Toute bonne chose a une fin. Et puis, j'étais épuisée. N'empêche que c'est le meilleur amant que j'aie connu. Si tu savais à quel point il m'a fait vibrer. Il m'a dégustée comme si j'étais un dessert sucré et, en plus d'avoir un instrument géant, il savait s'en servir avec une telle adresse que pour un très long moment, j'en ai oublié Thierry.

– Oh! Il devait être furieux.

– Pas du tout. Même plutôt le contraire. Il a adoré me voir baiser avec un autre homme.

– Comme c'est étrange...

Véronique prend quelques arachides dans sa main et en croque une qu'elle vient de briser.

– Moi, je voudrais le revoir, c'est sûr.

– Il faudrait que je communique avec l'entrepreneur en toitures. Je ne connais pas son nom de famille ni son numéro de téléphone. Je l'ai fait exprès, au cas où l'idée me passerait de le revoir à nouveau.

– Pour une petite baise de rêve...

– ... exactement. Mais il a beau baiser comme un dieu et toujours me faire rêver avec sa queue, je ne sais rien de lui. Et c'est mieux que ça reste comme ça. Je suis heureuse avec Thierry, nous profitons d'une vie sexuelle fantastique et nous filons le parfait bonheur. Que puis-je demander de plus?

– La queue de François pour dessert? blague Véronique, en mimant une verge énorme.

Je pars d'un grand rire. Elle connaît mon penchant marqué pour l'outil masculin et se fait un devoir de me taquiner.

– Je l'ai presque fait la semaine dernière: appeler son employeur et le retrouver. Juste une petite baise du midi, tu sais. Mais j'ai réussi à me retenir.

– Et moi, tu crois que je pourrais entrer en contact avec lui? Je serais aussi curieuse d'essayer son instrument. J'ai quelques petites idées quant à l'utilisation que je pourrais en faire...

– Véronique! Je te dis que je ne reprendrai pas contact avec lui. Point final.

– D'accord, d'accord. J'ai seulement pensé que je pourrais également avoir ma part du gâteau... avec le glaçage compris.

Tout comme moi, Véronique affectionne ces grands gaillards musclés, aux grandes mains fort utiles. Et, bien plus que moi, elle a besoin de ce type d'hommes pour se sentir féminine. Comme elle est plus costaude que la moyenne des femmes, et de surcroît légèrement enrobée, les hommes robustes anéantissent chez elle ce complexe, que je juge par ailleurs déplacé. À preuve, Thierry porte une affection toute particulière à son physique ingrat.

L'hôtesse vient nous chercher au bar pour nous désigner une table, près de la grande fenêtre offrant une vue superbe sur la neige qui dégringole du ciel. Les phares des voitures trouent l'obscurité de cette fin de journée.

– Ce qui m'intéresse, c'est de savoir quel sera votre prochain fantasme, dit Véronique, en ouvrant le menu déposé sur la table.

– Pourquoi en aurions-nous d'autres?

– Vous ne pourrez pas vous arrêter maintenant. Vos baises ont beau être meilleures depuis que vous avez fait ça à trois et devant moi, elles doivent nécessairement être plus ennuyeuses que ces deux situations.

Je souris. Thierry et moi n'avons pas encore exploré tous nos désirs. Nous en avons justement discuté la veille. Allons-nous poursuivre dans cette actualisation de fantasmes, ou cesserons-nous complètement pour nos adonner à nos activités régulières? Comme nos deux précédents fantasmes s'étaient somme toute bien déroulés, nous avons conclu qu'il n'y avait aucun mal à continuer.

Je fixe toujours une seule frontière à Thierry: je ne supporterais pas qu'il fasse l'amour à une autre femme. Pour l'instant, je demeure inflexible. Pas qu'il me taraude avec la question. Thierry n'a jamais même mentionné le désir d'actualiser un tel fantasme. Mais je ne suis pas dupe. Je sais qu'il crève d'envie de faire l'amour à une autre, sous mes yeux, comme je l'ai fait avec François.

Je ne suis pas prête à le laisser faire ça. Je ne pourrais supporter de voir une autre femme jouir de ses caresses. Ce serait pour moi l'équivalent d'une trahison. Nous avons cependant évoqué une idée qui nous plaît à tous deux et devant moi se tient peut-être celle qui peut, encore une fois, nous aider dans l'actualisation de ce nouveau fantasme.

– Eh bien, nous avons en effet pensé à quelque chose…

– Raconte, dit Véronique pour m'encourager, une pointe d'excitation dans la voix.

– Nous aimerions bien faire l'amour avec un autre couple. Je veux dire, pas d'échange, rien de tel. Mais chaque couple ferait l'amour ensemble, dans la même pièce. Ça pourrait devenir comme une joute, un défi pour voir qui jouira le plus fort. C'est un mélange d'exhibitionnisme et de voyeurisme.

– Mmm… Très intéressant. Et excitant. Avez-vous déjà choisi le couple qui vous accompagnera?

Je prends une gorgée de Tia Maria. Je suis soudain nerveuse, encore. Je connais bien ce type de nervosité: c'est presque la même que j'ai ressentie lorsque j'ai abordé François pour lui proposer de me baiser devant mon mari.

– Euh oui, en quelque sorte.

– Qui c'est? Je les connais?

Je ris nerveusement.

– Assez bien, je dirais. J'aimerais que ce soit toi.

J'ai bien cru que la mâchoire de Véronique allait percuter la table.

– Moi?!

– Oui. On se connaît très bien, ce serait moins gênant. Et puis, Thierry t'aime bien aussi, tu sais ce que je veux dire. Il adorerait te voir nue et en action.

À cette évocation, Véronique rougit jusqu'aux oreilles. Elle aime entendre que Thierry la trouve séduisante. C'est un petit velours dont elle ne se lasse pas.

– Je... mais je n'ai même pas de petit ami! C'est impossible pour le moment.

– Allez, cherche un peu. Il doit bien y avoir un «ex» qui se porterait volontaire pour une reprise temporaire des activités. Pour une nuit. Devant moi et Thierry. Penses-y, ce serait formidable.

– Ça, je n'en ai aucun doute.

– Pourquoi pas Sébastien? Tu sais bien, celui qui affectionnait le sexe oral. Tu m'avais dit qu'il t'avait léchée pendant des heures. Vous aviez fait l'amour toute la nuit et tu lui avais demandé grâce parce qu'il aurait pu poursuivre sa dégustation.

– Je me souviens très bien de lui, ne t'en fais pas, rétorque Véronique en esquissant un sourire nostalgique. Mais je crois qu'il est casé maintenant. Et puis, je ne suis plus si friande du cunnilingus. J'ai besoin de la pénétration désormais. Je ne peux faire sans. À moins que ce ne soit avec une femme... dit-elle en me décochant un œil intéressé.

– Véronique! Je t'ai déjà dit d'oublier ça pour le moment.

Elle rit, consciente de mon ambivalence.

– Annick, je recherche surtout des candidats doués avec leur queue. Et puis, j'aimerais mieux que ce soit quelqu'un de nouveau. Je suis célibataire, je dois en profiter.

Véronique se penche au-dessus de la table, une lueur coquine dans ses grands yeux, la même que Thierry trouve irrésistible, et je sais déjà ce qu'elle va dire.

– Et si tu me disais comment communiquer avec François? Je pourrais faire d'une pierre deux coups. J'actualise votre fantasme et je me rends compte par moi-même de la valeur de cette grande verge qui te fait encore rêver. À t'entendre parler, c'est le meilleur baiseur du monde...

– Véronique!

– C'est pas vrai?

– Bien sûr que si! Mais je ne peux pas le revoir, même si je ne baise pas avec lui. Parce que tôt ou tard, je recommencerais. Et ça deviendrait trop dangereux pour mon couple.

Véronique lève les mains devant elle.

– D'accord, d'accord. Je blaguais, c'est tout. Enfin, à moitié. Je ne vois pas pourquoi tu en aurais l'exclusivité, à moins que tu n'entretiennes l'idée de le revoir de toute manière.

– Je te dis que c'est hors de question. Et c'est également exclu que tu prennes ton tour. Par prudence, il ne doit plus graviter dans mon entourage. C'est beaucoup plus sage ainsi.

Véronique redevient sérieuse juste au moment où le serveur s'approche pour prendre en note notre choix de menu.

– Laisse-moi un peu de temps. Ce que tu me proposes est pour le moins tentant. Regarder et se faire regarder. Je veux seulement choisir le bon candidat.

– Tu as tout le temps nécessaire.

– Et en retour, tu m'en dois une.

– Ce que tu veux...

Véronique sourit.

– Jure-moi seulement d'accorder une réflexion à nous deux...

– Je le fais déjà, Véronique.

๛ ๛ ๛

Je passe les jours suivants à travailler dur, dix heures par jour, pour ficeler un gros projet qui a été confié à mon cabinet un mois plus tôt. Thierry est à Chicago pour un congrès d'envergure en informatique. Le soir, je me prélasse devant la télé ou je lis un roman entamé il y a des lunes.

Au retour de mon souper avec Véronique, j'avais appelé Thierry à l'hôtel pour lui relater notre conversation.

– Elle est partante?

– Tout à fait. Elle est même très enthousiaste. J'en étais certaine... Crois-tu que nous soyons en train d'aller un peu trop loin?

Il y a un silence à l'autre bout.

– Pourquoi? Nous n'allons pas faire l'amour avec elle, juste la regarder et vice-versa. Nous resterons respectivement avec notre partenaire. Ce que nous avons fait avec François était bien plus téméraire, après tout.

– Je sais. N'empêche, je ne connaissais pas François. Véronique est ma meilleure amie. J'ai un peu l'impression que je te la livre sur un plateau d'argent.

– Quel excellent repas!

La répartie de mon mari me fait rire malgré tout.

– Thierry! Qu'est-ce que tu aimes d'elle? Ses petits seins? Ses hanches larges? Quoi?

Il expire à l'autre bout, il réfléchit.

– Je ne sais pas. Ce n'est rien en particulier. C'est plutôt l'ensemble.

– Elle n'avale peut-être même pas, dis-je, de plus en plus excitée.

Je suis un peu jalouse de mon amie, de l'engouement qu'elle provoque chez mon mari, et je me découvre à essayer de décourager l'enthousiasme que Thierry lui porte.

– C'est plus intéressant de penser qu'elle fait tout.

– À quel point est-ce si important?

– Je ne sais pas. Ça fait plus cochon.

– Tu es frustré que je n'aie jamais avalé avec toi?

– Non.

– Je l'ai bien fait avec François, tu m'as vue. Du premier coup. Il est venu dans ma bouche et j'ai tout pris. Et tu n'es pas choqué?

– Non! C'est très excitant.

– Je ne te comprends pas, Thierry. Je serais furieuse que tu baises avec une autre fille, encore plus sous mes yeux. Tu m'as laissée faire l'amour avec cet étranger, beau comme un dieu. J'ai fait plein de nouvelles choses avec lui, des trucs que je ne fais pas avec toi. Tu devrais être furieux, mais ça t'excite.

– Sans compter que tu as connu avec François la plus grande jouissance de ta vie sexuelle.

Je reste interdite. Je ne lui ai pas avoué cela. Ai-je été si évidente?

– Je n'ai jamais dit ça, fais-je sur la défensive.

– Non, mais ça sautait aux yeux. Tu ne peux pas le renier. Je ne t'avais jamais vue dans cet état. Tu étais comme en transe, les yeux révulsés. Ça fait trois mois que c'est derrière nous et tu ne m'as pas encore dit comment c'était pour toi.

— Je suis mal à l'aise... j'ai peur que tu te choques.

Mais en même temps, l'occasion est idéale. Je ne peux voir mon mari ni subir l'examen attentif de ses yeux.

— Mais non, vas-y... Puisque c'est moi qui te le demande, Annick.

J'hésite quelques secondes. Je décide de me lancer. Ça me brûle la langue depuis tout ce temps.

— Mieux que tout ce que j'ai connu auparavant. J'ai perdu la tête, je l'avoue. C'était une première pour moi.

— Est-ce en raison de sa grosse queue?

— Je ne sais pas. Non, pas particulièrement. C'est un facteur contributif, c'est certain. J'avais l'impression qu'il me fouillait au plus profond de mon être. Je me sentais remplie... c'est difficile à expliquer. Mais c'est surtout le tout, l'ambiance, le fait que tu nous regardais. Et puis, je me sentais... perverse, cochonne avec lui. Je ne le connaissais pas, je sentais que tout était permis. J'en ai profité, je me suis laissée aller. Et lorsque tu t'es joint à nous, je me suis sentie désirée, incroyablement sexy. J'avais l'impression d'être le fantasme de deux hommes. C'était autant dans la tête que physique comme plaisir.

Un ange passe. Je sais qu'il se remémore cette baise à trois. Comme moi je le fais depuis cette nuit-là.

— Alors, qui va accompagner Véronique lors de notre petite soirée? demande Thierry en brisant le silence.

— Je ne sais pas encore. Elle aimerait que ce soit François, fais-je avec réticence.

— Pourquoi pas? Je la verrais bien avec lui. Puisque je ne peux pas le lui faire moi-même, ce serait bien qu'elle baise avec un beau mec comme ça.

– Je préférerais ne pas le revoir... dis-je, avec moins de résistance.

– Pourquoi? Il baiserait Véronique, c'est tout. Et puis, tu pourrais toujours remettre ça...

– Thierry! On s'était dit que non.

– Annick, c'était ta meilleure baise à vie. Pourquoi t'en passer?

Je réfléchis, je me vois enlacée avec François et Véronique, la bouche toute féminine de mon amie sur la mienne, alors que mon dieu me pilonne de toutes ses forces avec sa verge mémorable.

– J'entends un long silence, dit Thierry à l'autre bout. Je t'ai convaincue?

– J'y pense, OK?

⚜ ⚜ ⚜

Le vendredi, je n'ai pas envie de retourner à la maison après le travail. Je pense sans cesse à François, à la proposition de Thierry, et je ne peux m'enlever de la tête le trio que je composerais avec mon amant et mon amie. Ça m'obsède. Le pire, c'est que Thierry ne fait partie d'aucun de mes scénarios. Il ne rentre que demain de Chicago et je ne veux pas me retrouver seule à la maison.

En sortant du cabinet de la rue Saint-Jacques, je prends la direction de l'appartement de Véronique dans le Plateau-Mont-Royal. Je veux la surprendre et l'inviter à boire un verre. Et puis, je veux m'enquérir de ses recherches pour dénicher un mec désireux de baiser devant un auditoire de deux personnes, ces dernières aussi en pleine action. Je sais que l'idée séduit Véronique et je ne veux pas relâcher la pression.

Je gare mon Pathfinder dans une rue adjacente à celle qu'habite Véronique. Le stationnement sur le Plateau est un problème chronique.

Mes pas résonnent sur le pavé brisé et des plaques de glace craquent sous mes bottes de travail. Véronique loue un logement à l'étage d'un vieil édifice. À moitié délabré, il ne paye pas de mine, mais l'aménagement intérieur vaut cependant le coup d'œil.

J'approche du coin de la rue lorsque j'entends les premiers gémissements. Je m'immobilise, je me fais le plus silencieuse possible. Les gémissements cessent, puis reprennent de plus belle. On dirait quelqu'un qui fait l'amour, ou en tout cas qui prend un malin plaisir à faire ce qu'il fait.

Je m'approche à pas de loup du vieil escalier en fer forgé rongé par la rouille. Je monte lentement, en prenant soin de ne pas faire grincer le métal corrodé et je me retrouve sur le pallier du premier. Les gémissements sont plus forts maintenant. Ils semblent provenir de la première fenêtre coulissante sur ma droite, qui est entrouverte malgré le temps froid ; un rai de lumière s'en échappe.

Par déduction, je comprends qu'il s'agit de la fenêtre de la chambre de Véronique. Je reste sur le pallier à hésiter. Je devrais partir, remonter dans mon utilitaire et filer à la maison, mais l'occasion est unique. J'avais espéré surprendre Véronique, d'une toute autre manière certes, mais la chance qui se présente maintenant risque de ne jamais se reproduire.

J'ai un penchant pour l'exhibitionnisme, je l'ai toujours dit. J'aime que l'on me regarde. Les plus belles vacances que j'ai passées ont eu lieu à Cuba, à Cayo Largo. J'y suis allée avec Thierry, il y a quelques années. Nous avions vite constaté que les seins nus y étaient légion mais qu'en plus, les plages locales étaient envahies par les naturistes. Mes maillots étaient restés pliés dans les valises et j'avais pris des bains de soleil nue pendant deux semaines.

J'avais pris mon pied à me prélasser devant tous ces mâles intéressés, à me balader nue, à circuler au bar dans ma tenue d'Ève. Et j'avais eu tout autant de plaisir à observer les hommes à poil, leurs queues libres se balançant entre leurs cuisses basanées, leurs fesses offertes au soleil comme des pains dorés. J'aime donc aussi regarder, admirer les corps nus. J'ai maintenant une occasion unique.

Ces gémissements ne peuvent effectivement qu'être reliés à du plaisir charnel. Véronique est-elle seule ou en bonne compagnie? Il n'y a qu'un seul moyen de le découvrir. Je m'avance juste assez pour jeter un œil à l'intérieur, sans toutefois révéler ma présence dans la pénombre. Le rideau est tiré sur la fenêtre et je peux voir toute la chambre peinte en jaune.

Je n'ai jamais été particulièrement entichée des hommes de race noire, mais force est d'admettre que celui qui se trouve dans la chambre de Véronique est spectaculaire. Il a le physique ravissant d'un culturiste, ses muscles saillants roulent sous sa peau d'ébène. Il coince mon amie dans un coin de la chambre. Elle est vêtue d'une camisole et d'une culotte de soie bleue. Lui est nu et splendide. Il se tient dos à moi, ses fesses bombées emprisonnées dans les mains toutes blanches de Véronique.

Ils s'embrassent passionnément, ce qui arrache à mon amie les petits gémissements que j'ai d'abord entendus dans la ruelle. Je me demande ce qui a poussé Véronique à actualiser son fantasme de baiser avec un Noir. Les récentes frasques de mon mari et moi l'auraient-elles incitée à se laisser aller à ses désirs? Ou est-ce tout simplement un hasard qui fait que je la surprends ce soir à prendre de grandes bouchées de ce titanesque homme de couleur?

L'amant de Véronique doit mesurer au moins deux mètres et à eux deux, ils font environ le quadruple de mon poids. Pourtant assez robuste, Véronique a l'air minuscule à ses côtés. Elle obtient enfin ce qu'elle désirait: un homme, un vrai, qui joue avec elle comme d'un jouet miniature.

Les mains de Véronique jouent fébrilement avec ses fesses splendides, impatientes de passer à autre chose. Elles le repoussent sur le lit, sur lequel il s'échoue durement, ce qui provoque un grincement outré des ressorts. Entre ses cuisses se dresse la queue la plus monumentale qu'il m'a été donné de voir. Celle de François y compris. Moi qui ai cru en avoir plein les mains et la bouche avec celle de mon amant d'une nuit, je découvre là un instrument digne du livre des records! Elle est très noire, comme la réglisse, avec une forêt de courts poils bouclés à la base. Il n'est pas encore en érection mais, malgré tout, son pénis atteint sans mal vingt bons centimètres. Son outil noir a quelque chose d'animal, de très sensuel. Comme si sa présence entre les cuisses de cet homme n'avait d'autre but que de procurer un plaisir brut.

Véronique contemple sa nudité un bon moment, les joues rouges d'excitation, avant de retirer sa camisole en la soulevant au-dessus de sa tête. Comme je me les rappelais, ses seins sont petits et boudeurs, couverts en entier par de larges aréoles pâles. De vraies tétines qui auraient ravi Thierry et que je trouve aussi mignons. Au creux de ses reins brille un fin duvet blond qui cerne sa colonne vertébrale.

Véronique s'empare d'une bouteille d'huile à massage aux fruits, posée sur le plancher à côté d'un système de chauffage d'appoint qui pousse son air brûlant dans la chambre. Elle verse le liquide sur le corps majestueux de son amant. Elle commence à l'étendre de ses mains blanches sur cette peau d'ébène, s'attardant spécialement sur les pectoraux gonflés, à l'aspect dur. Puis, elle en répand sur sa propre poitrine, avant de se frotter contre le torse de son amant. La verge de ce dernier se dresse pour l'attaque, dans des proportions titanesques, et bat contre le ventre rond de mon amie.

Véronique verse alors de l'huile sur cette queue digne d'un mât de bateau et se met à le masturber à deux mains avec l'huile qui facilitera l'entrée de ce tronc d'arbre entre ses cuisses. Elle le branle lentement, force l'huile à dégouliner sur ses couilles qui ressemblent à des noix de coco. Je la regarde masturber ce dieu noir, ses yeux agrandis fixés sur son engin, comme si c'était un volcan prêt à entrer en éruption. Elle a envie de sa lave, c'est certain.

Tout ce corps d'ébène luit sous la lumière crue, comme celle d'un danseur nu, et bientôt la peau de Véronique est recouverte de cette même huile à force de se frotter sur son amant. Ses mains glissent sur ce membre luisant qui atteint maintenant les trente centimètres et qu'elle serre comme si c'était sa possession. Tous deux sont généreusement badigeonnés d'huile; la culotte de Véronique en est trempée. Leurs corps glissent l'un sur l'autre, dans une danse sensuelle qui me met le feu au ventre.

Puis, elle le caresse avec ses seins, qu'elle serre tant bien que mal autour de son pénis. Elle le masturbe ainsi, entre ses petits pruneaux, ses mamelons sur le point d'exploser. Elle porte sa bouche à cette peau sombre, lèche sur son ventre l'huile aux fruits, sans pourtant approcher ses lèvres de sa queue noire. Bientôt, ce sont ses grosses mains sombres qui agrippent les seins de Véronique, les font paraître pour des limes bien mûres. Les mamelons jaillissent d'excitation, subitement plus rouges. L'amant ouvre grand la bouche et engouffre complètement une aréole, avant de soumettre le mamelon à une forte succion, ce qui soutire à Véronique un profond gémissement. Son sein pénètre en entier dans sa large bouche accueillante.

Je me tiens là, à la fenêtre, à regarder mon amie ignorante de ma présence. C'est pervers, très délicieux. Je prends une grande inspiration, je mords ma lèvre inférieure pour étouffer mes soupirs. À l'intérieur, Véronique se déplace au-dessus de l'érection magistrale de son partenaire. C'est ce que je ferais à sa place. J'enverrais valser ma culotte et je m'assoirais sur ce poteau. Mais elle écarte plutôt sa culotte sans la baisser et pose les pieds à plat, de chaque côté de ses cuisses musclées. L'élastique de sa culotte entre dans sa chair alors qu'elle étire le tissu au maximum pour faire une place de choix à cette grande verge exotique. Véronique est complexée à cause de ses hanches et de ses fesses généreuses, alors qu'aux yeux de bien des hommes, dont mon Thierry, il s'agit d'un charme auquel ne peuvent aspirer les femmes minces.

Véronique prend appui de ses mains sur la poitrine couverte de poils bouclés de son amant, puis elle s'empale cavalièrement sur sa queue vertigineuse. À mesure qu'elle s'accroupit, elle pousse un cri qui se répercute dans toute la maison. Je retiens mon souffle alors que la queue noire s'enfonce en elle. Elle ne parvient pas à tout prendre: la verge est bien trop longue! En soufflant, elle se met à bouger sur sa bite bien huilée en pliant et en dépliant les genoux.

C'est la première fois que j'assiste à cette position et je me promets de l'essayer avec Thierry dès son retour de voyage. C'est délicieusement cochon et elle doit permettre une profondeur de pénétration maximale. En penchant la tête, Véronique peut aussi regarder la queue entrer et sortir d'elle selon le rythme qu'elle désire, alors que ses petits seins écartés dardent dans le visage de son amant, ses mamelons gonflés de plaisir frémissant tout près de cette bouche affamée. Elle y pousse l'un de ses petits citrons et il est aussitôt englouti par son amant, dont les dents très blanches se mettent à titiller le bout rougi.

Je change de position pour mieux voir la verge s'activer entre les cuisses de mon amie, et aussi pour surveiller l'expression de son visage comme elle est labourée par cet instrument de plaisir. Mon amie en a plein la panse, elle est littéralement empalée sur sa lance. Ses doigts se crispent sur la poitrine noire alors qu'elle agite son bassin sur son épée.

Lorsqu'elle déplie les genoux, son pénis sort presque du logement confortable de son vagin. Mais elle se rabaisse aussitôt, ne pouvant se soustraire à cette intrusion des plus exquises. Cette position accroupie ouvre grand son vagin. La verge noire ruisselle tellement Véronique est mouillée. Je constate que cette position particulière l'excite; tout son visage est crispé et ses yeux, à demi fermés, témoignent de son grand plaisir.

L'amant noir pousse un grognement bas en jouissant. Ses mains serrent toujours farouchement les petits seins de Véronique. Stimulée par sa réaction, Véronique active son bassin, l'agitant dans tous les sens, infligeant à cette grosse queue qui la remplit le traitement royal qu'elle mérite. La sueur brille sur leurs corps nus, coule sur les cuisses de Véronique et sur le front de son amant. Finalement, ce grand Noir se détend, terrassé par l'orgasme que vient de lui procurer mon amie.

Le visage tout rouge et encore haletante, Véronique presse sa main contre son sexe, comme un bouchon. Puis, elle se redresse et dépose sans ménagement son cul sur le visage de son partenaire. Elle retire sa main et de son sexe s'écoule en abondance la semence épaisse. Véronique presse sa chatte sur ses lèvres épaisses, ouvertes pour la dégustation. Il boit fébrilement à cette fontaine naturelle, se régalant de sa semence et des effluves de Véronique, puis il plonge sa langue loin dans son antre détrempé. Sa bouche est maculée de cette miction onctueuse. Il lèche ses fesses et l'intérieur de ses cuisses, avant de repartir à l'assaut de son tunnel suintant. Les poils rêches de sa barbe naissante doivent chatouiller un peu la peau de Véronique, mais elle ne bronche pas alors qu'il assèche ses cuisses de ses propres déjections.

Lorsque sa bouche remonte vers l'anus de Véronique, elle écarte bien les jambes pour s'ouvrir un peu plus et lui permettre d'entrer librement par-derrière afin de laper son tunnel. Avec ses doigts, il écarte ses fesses pour mieux goûter son anus. J'aperçois ce petit cercle foncé bien dégagé, qu'il se hâte de lécher avec une nouvelle furie. Véronique décontracte son muscle pour qu'il s'enfouisse bien plus loin dans son cul, provoquant le tremblement incontrôlable de ses jambes.

Tout comme François m'avait dégustée par-derrière, l'amant noir met sa langue dans les tréfonds du cul de Véronique. Je me demande ce que ça goûte et s'il sent toutes les terminaisons nerveuses qu'il excite en fourrant ainsi sa langue dans son rectum. Son amant pousse et retire sa langue, alternant le mouvement. Je vois bien ce cercle sombre s'ouvrir de plus en plus, accoutumé à l'intrusion délicieuse de cette langue rose.

Véronique agrippe le matelas à deux mains et pousse un grognement chaque fois que la langue reprend ses assauts à l'arrière, propulsée loin dans son derrière par la bouche de son amant. Je vois ruisseler sur ses cuisses la salive de l'homme noir, qui s'écoule de l'anus de mon amie comme la lave d'un volcan. Je me surprends à avoir envie d'essayer, de porter, moi aussi, ma bouche au cul de mon amie et de pointer la langue pour tester sa saveur, de mordre doucement ses fesses et de tenir son anus prisonnier de ma bouche chaude. Je me sens rougir, je ne me pensais pas capable de telles pensées.

Il la lubrifie ainsi pendant plusieurs minutes avant d'insérer un long doigt dans son orifice et de concentrer les efforts de sa langue sur son clitoris excité. Son doigt glisse bien entre les fesses dodues de mon amie, comme s'il trouvait là un lieu d'appartenance. Fasciné par cette pénétration peu orthodoxe, l'amant de Véronique suit des yeux les mouvements de son doigt, tout en suçant son clitoris comme une menthe rafraîchissante.

Véronique n'hésite qu'un moment avant d'amener son visage près de cette queue d'enfer qui repose sous ses yeux. Elle affectionne tout particulièrement la fellation. Elle m'a un jour raconté qu'à l'université, elle avait déjà sucé deux gars différents dans la même soirée, dont un dans les toilettes pendant qu'une petite fête faisait rage de l'autre côté de la porte. Dire qu'elle adore ça n'est donc pas une exagération.

Malgré sa grande bouche, elle doit écarter les lèvres pour gober avec difficulté son gland enflé. J'imagine qu'il doit avoir un goût salé de transpiration. Elle suce sa verge avec engouement, en produisant de petits grognements de plaisir. Je suis les pérégrinations de sa queue tout en surveillant cette bosse qui enfle la joue de Véronique chaque fois qu'elle l'engloutit plus profondément. Elle produit des sons de succion en le suçant, comme si elle s'exécutait par gourmandise. Son outil reprend rapidement de l'ardeur et redevient d'un format démesuré, que Véronique n'arrive même plus à prendre dans sa bouche.

Elle s'emploie donc à promener sa langue sur sa matraque. Sa langue rose parcourt son mât d'ébène, de haut en bas, s'attardant sur ses gros testicules, les grignotant, essayant de les aspirer dans sa bouche chaude, avant de reprendre son ascension vers le gland, le léchant comme on savoure un bon cornet.

Ils font un merveilleux soixante-neuf. Le contraste de leur peau alimente mon excitation. Tous deux mangent l'autre avec un plaisir évident. Il n'y a rien de mieux qu'une caresse buccale donnée avec autant de plaisir que celle que l'on reçoit. C'est divin ainsi. Et visiblement, tous deux adorent goûter à la chair de l'autre. Sans retenue, en produisant des sons humides.

Véronique agite ses fesses sur le visage qui la caresse, alors que lui pousse sa verge dans la bouche occupée de mon amie. Cette dernière frotte ses seins sur le ventre couvert de poils rugueux de son amant. Leurs corps sont soudés, chocolat et vanille réunis. Leur soixante-neuf n'est pas seulement une question de caresse de l'autre, mais une réelle communion de leurs corps, une offrande personnelle livrée aux papilles gustatives de l'autre.

Véronique se met à haleter, surprise par un orgasme rapide, et oublie momentanément la grosse friandise qu'elle tient en main pour presser son cul contre le visage affairé de son amant. Elle pousse de petits cris plaintifs, alors que la langue frétillante du Noir achève de la faire vibrer, profondément enfouie et agitée dans son vagin. Les dents frottent doucement contre ses lèvres enflées et son clitoris. Il continue de la lécher bien après l'orgasme. Véronique se relaxe, couchée sur son partenaire musclé. Toujours au garde-à-vous, il s'assoit sur le bout du lit et soulève sa partenaire. Dans ses mains, elle a l'air d'un moustique. Il l'abaisse sur son mât, lentement, comme s'il n'était pas certain de pouvoir entrer au complet.

Je ferme les yeux et je me retrouve aussi dans la chambre, à la place de Véronique, livrée à sa force et subjuguée par sa taille. Il m'embroche, me remplit la bouche de son nectar. Je m'agrippe à ses pectoraux gonflés, ma langue danse dans sa bouche alors qu'il plante son arme dans mes entrailles. Je le sens jusque dans mon ventre, je me sens envahie et j'en redemande encore. Je suis en sueur, je coule dans ma culotte, toute chamboulée. Je rouvre les yeux, prête à assister à la suite des ébats de Véronique.

Je m'approche un peu plus de la fenêtre ouverte, je veux humer les effluves de leurs échanges, m'en imprégner comme si j'en faisais partie. Je faufile un doigt dans ma culotte. Je suis toute mouillée. Je commence à me caresser, mes genoux flanchent, mon cœur palpite. Je sens que j'outrepasse toutes les lois, cachée dans le noir à épier mon amie qui baise avec ce partenaire exotique. Je me sens frondeuse, et c'est sublime!

Dans la chambre, Véronique paraît toute petite, plate comme une plaine, et son derrière généreux rapetisse entre les mains immenses de son amant. Elle se démène comme une diablesse, alors que les grosses pattes noires de son amant la soulèvent et l'abaissent comme un sac de plumes sur son érection luisante, au rythme qu'il choisit d'imposer. Il mène désormais le jeu, brassant Véronique dans tous les sens, fourrant loin en elle son pénis massif, taillé dans le roc. Véronique lui tourne le dos et joue avec ses seins, qu'elle serre dans ses mains, tirant sur les mamelons avec ses doigts, les humectant de salive pour ensuite les masser.

Mon amie change alors de côté pour se retrouver face à son amant. Elle se hisse sur sa verge et de deux doigts, elle écarte ses lèvres gonflées et se laisse glisser sur son poteau. Je pousse un petit gémissement, à peine perceptible, comme si c'était moi qui m'empalais sur sa sublime turgescence. J'ai des vertiges, des chaleurs, j'ai le cul en feu.

Seigneur! J'ai presque envie de sonner et de m'inviter. Je commence à changer d'idée sur les hommes de couleur. Sur dix, son corps mérite un... douze! Il est parfait et Véronique est égale à elle-même. Il mord à pleines dents dans ses seins, tire sans ménagement ses mamelons entre ses dents immaculées. Véronique répond par un gémissement, d'abord bas, puis plus haut perché. J'aimerais qu'il morde ma poitrine, beaucoup plus voluptueuse, et que de ses mains géantes, il compresse mes seins pour en faire pointer les mamelons.

Ils changent encore de position et Véronique s'agenouille sur le matelas. Lui reste debout au bout du lit et d'une simple poussée, il se réintroduit en elle. Plus de la moitié de sa verge demeure inutilisée en raison de sa longueur excessive, mais il agite l'autre moitié avec fougue. Il s'active longtemps, ce qui me semble une trentaine de minutes. À chacun de ses coups de reins, les muscles de ses fesses se bandent, me soutirant un regard admiratif. La sueur coule à grosses gouttes sur son front. Ses mains aux paumes roses agrippent les seins pâles de Véronique et les emprisonnent alors qu'il la martèle sans relâche. Ses cuisses claquent sur le postérieur relevé de mon amie. C'est si cochon, si intense! Je peux presque sentir sa queue qui va et vient dans le ventre de ma meilleure amie.

Il se retire et prend un peu d'huile à massage, qu'il verse sur son gland noir. Véronique agite les fesses pour lui montrer qu'elle veut qu'il revienne en elle. Il verse un peu d'huile dans le pli de ses fesses. Je sais ce qu'il s'apprête à faire. Il va effectivement revenir en elle, mais par la porte arrière. Je n'aurais jamais cru Véronique assez téméraire pour se livrer à ça. Surtout pas avec un membre de cette dimension. Pourtant, lorsqu'il masse son anus avec son pouce, elle écarte les genoux pour lui signifier son accord. J'avale difficilement ma salive. Je n'accepterais jamais ça. Il est trop gros, il me déchirerait, mais je suis néanmoins curieuse de voir comment mon amie va se comporter.

Il entre doucement dans son postérieur, d'abord juste le bout de sa queue, puis bientôt jusqu'aux trois quarts, enfin au complet. Il ne lui faut que quelques minutes avant de se mettre à pomper vigoureusement dans le cul de mon amie. De ses mains, il couvre une bonne partie de son dos. Véronique pousse une série de gémissements gutturaux, un mélange de douleur et de plaisir, qui se mêlent aux aboiements d'un chien. Il la tient par les flancs, glisse ensuite ses mains sur son ventre rond, tout en agitant sa queue dans son rectum. Ses plaintes sonores le stimulent à la marteler encore plus vigoureusement.

Maintenant, sa longue verge sombre glisse comme un madrier dans son postérieur, Véronique l'accueille si loin que ça me semble irréel. Elle continue de gémir et étire le bras pour serrer ses testicules lorsqu'il daigne s'immobiliser au plus profond de son cul. J'essaie d'imaginer cette sensation, mais ce n'est pas pour moi. Je préfère seulement regarder sa queue s'enfouir par-derrière et ne pas avoir à l'accueillir moi-même. Mon amant François m'aurait convenu, mais celui-ci est carrément titanesque.

Le dieu noir poursuit son assaut du cul de mon amie, crispé par le plaisir que lui procure ce passage serré qui comprime sa verge. C'est Véronique qui jouit la première, silencieusement. Seuls l'expression de son visage, les muscles de ses jambes qui se tendent, ses orteils qu'elle plie et déplie, m'indiquent qu'elle atteint le septième ciel. Elle gémit aussi, comme un animal blessé, comme si la tension qui la quittait provoquait un vide incommensurable. Elle se renverse sur le dos, la tête pendant au bout du lit, et son amant vient se positionner au-dessus d'elle, branlant sa queue humide devant son visage.

Il n'est pas long à venir. Il coule comme un robinet dans sa bouche. Sa semence est d'un blanc éclatant, abondante. Je suis fascinée de voir une si grande quantité de sperme épais s'écouler dans la gorge de mon amie. Elle continue à lécher sa verge qui rapetisse, bien longtemps après que sa semence a cessé de couler. Elle le caresse du bout des doigts, le nez appuyé contre ses testicules, qu'elle couvre de petits baisers affectueux.

Je suis persuadée qu'ils vont remettre ça, après une pause et une douche bien méritées. Véronique ne semble pas en avoir terminé, juste à la façon dont elle caresse le long pénis de son amant. Je rebrousse chemin en silence, ébranlée comme si je venais d'assister à un film percutant.

Alors que je m'éloigne de la maison, mon désir pour l'homme noir s'estompe, mais l'excitation bat encore dans mes veines. Mes jambes sont molles comme de la guenille; j'ai le cœur trépidant et le souffle court.

Mais surtout, je revois Véronique, ses traits tendus par le plaisir au moment où elle jouissait de cette queue trépidante. Je repense aussi à son cul et à quel point j'aimerais y goûter. Je me vois le visage bien enfoui entre ses fesses, ma langue plantée loin dans son cul, et elle qui se démènerait sous l'emprise de la jouissance que je lui procurerais. Ça ne concerne qu'elle et moi. Je découvre subitement tout mon désir pour elle et je me demande si j'aurai seulement la témérité d'agir. Regarder, c'est une chose. Agir, c'en est une toute autre!

Le spectateur

Seule la petite fenêtre de la salle de bain laisse filtrer un carreau de lumière dans la nuit étoilée. Roxanne doit être dans la douche à essayer de refroidir la température de son corps par cette nuit torride de juillet.

Je devais initialement travailler très tard, et j'avais d'ailleurs prévenu Roxanne que je ne rentrerais pas avant minuit. Elle m'avait dit qu'après avoir couché les enfants, elle se relaxerait un peu, peut-être même qu'elle louerait un film. Mais les choses se sont déroulées rondement au bureau, si bien qu'il est à peine vingt-deux heures lorsque je me faufile par la porte du garage, bien décidé à surprendre Roxanne. J'ai toutes sortes d'idées en tête, toutes plus frivoles les unes que les autres.

Le rez-de-chaussée est plongé dans la pénombre. Je pose ma mallette dans un coin et je monte à l'étage. J'entends clairement le jet de la douche. Je ne me suis pas trompé, Roxanne s'y trouve. Je l'imagine en train de frictionner son corps, plus précautionneusement ses endroits secrets, et je pense au léger goût de savon que sa peau offrira encore lorsque je la comblerai de ma langue zélée.

Je me dépêche à gagner notre chambre, où deux bougies se consument sur les tables de nuit. Je pénètre dans le *walk-in*, je me déshabille et je referme la porte, ne laissant qu'un petit espace pour pouvoir épier mon épouse.

La douche se tait, puis j'entends Roxanne en sortir. Je l'entends ensuite circuler dans les chambres des enfants, je l'imagine en train de les border. Puis, ses pas s'amplifient et elle pénètre dans la chambre, une serviette drapée autour de la poitrine. Ses cheveux mouillés sont si noirs qu'ils paraissent bleus. Elle se défait de la serviette et je me régale de sa nudité.

J'aime son corps nerveux, toujours sur le qui-vive, les boutons bruns de ses seins, cette folie de jeunesse qu'elle a fait tatouer sur son bas-ventre, et l'autre beaucoup plus récente: un anneau en or dans son nombril percé.

Malgré les deux enfants qu'elle a eus coup sur coup, Roxanne a conservé sa taille d'adolescente: seins naissants, hanches inexistantes et fesses fuyantes. Si l'absence de courbes peut parfois se révéler la source de complexes, surtout l'été en maillot de bain, ce n'est pour moi que plus charmant encore.

Nue, Roxanne ouvre le tiroir à sous-vêtements et plonge la main tout au fond. Lorsqu'elle se penche pour atteindre ce qu'elle cherche, je vois entre ses fesses qu'elle est excitée. Elle a dû se caresser dans la douche! Je ne peux demander mieux!

Je m'apprête à sortir de ma cachette pour la surprendre lorsque la main de Roxanne réapparaît avec un objet. J'ouvre grand la bouche, stupéfait de ma découverte. Roxanne tient un vibrateur, long et gros, qu'elle a d'ailleurs peine à serrer dans sa petite main. Elle se dirige vers le lit et s'y étend. Je vois bien qu'elle a le souffle court, qu'elle est excitée. Dans sa main, elle tient aussi un petit flacon dont elle verse le contenu sur la verge animée. Le lubrifiant fait briller le pénis en latex à la lueur des bougies ; elle l'en enduit, comme si elle le caressait, de haut en bas, tout autour du gland, à pleine main. Elle masturbe cette verge dure, du bout des doigts, avant de la prendre solidement en main. Je l'imagine sans peine en train de caresser cet autre homme, au membre légendaire, et je sens mon excitation redoubler.

Roxanne ouvre grand les jambes, exposant à mes yeux stupéfaits sa toison sombre et épaisse, qui m'a si souvent chatouillé la bouche lors de mes séjours prolongés entre ses cuisses. Elle est si mouillée que ses poils frisent et que même ses cuisses sont humides. Elle actionne le vibrateur, et le grondement de l'appareil me parvient aux oreilles alors qu'elle applique le bout du gland contre sa cerise mouillée. Elle pousse un long soupir, du même genre que ceux qu'elle exprime lorsque je colle ma bouche à sa pastille rafraîchissante. Je ressens un peu de jalousie à l'idée qu'un instrument lui procure un plaisir identique, sinon accru, à celui que ma langue lui donne. Mais je suis aussi émoustillé; d'ailleurs jamais je ne me souviens d'avoir été aussi dur. C'en est même douloureux.

Roxanne promène la tête du pénis sur ses lèvres, sans le pousser plus loin. Elle ondule les hanches, les yeux fermés, et je me demande qui elle imagine comme le propriétaire de cette fabuleuse érection. Moi? Non, sûrement pas. Quel serait le but? Un collègue de travail? Un ancien amant? Dieu que c'est excitant!

Ma femme pousse enfin la verge en elle. «Jamais elle ne pourra l'y enfoncer au complet», songé-je, les yeux exorbités. Mais elle pousse, pousse, jusqu'à ce qu'il ne reste plus que les testicules artificiels qui émergent de son puits sans fond. Je vois ses lèvres étirées au maximum, ne pouvant en prendre plus; je vois ses yeux révulsés alors qu'elle savoure cette pénétration hors du commun. Elle enfonce les talons dans le matelas, arque le dos, et ses tout petits seins pointent droit au plafond, ses mamelons aussi larges que le sein lui-même, d'une taille parfaite pour ma bouche.

Elle impose au pénis un mouvement de va-et-vient très lent, savourant les effets de la vibration, son autre main caressant langoureusement son petit fruit mûr. Que se passe-t-il dans sa tête? Elle bouge sans cesse les orteils, comme si un courant électrique les agitait. J'entends clairement le souffle court s'échapper entre ses lèvres entrouvertes. Roxanne contrôle parfaitement les mouvements de son partenaire, arrêtant parfois sa main lorsque la verge entre au fond d'elle, la laissant là, savourant cette plénitude d'être totalement envahie. Elle reprend ses mouvements lents, se faisant l'amour à son goût, à sa manière, sans avoir à demander quoi que ce soit.

Probablement pour insuffler encore plus de réalisme, Roxanne retire le pénis de latex de son logement mouillé et le fixe sur le sol près du lit à l'aide de la ventouse. La verge artificielle s'élève de toute sa masse, et Roxanne pose ses talons de part et d'autre avant d'abaisser son sexe assoiffé de jouissance sur cet instrument de vingt centimètres. Lentement, son amant docile s'enfonce entre ses cuisses, jusqu'à ce que ses fesses d'adolescente rejoignent les testicules aussi disproportionnés que le membre lui-même.

Alors, Roxanne impose son rythme, soulevant et abaissant son bassin, les pieds et les mains à plat sur le plancher, la tête penchée pour mieux voir son partenaire vibrant lui faire l'amour. Je donnerais tout pour assister aux images qui doivent se bousculer dans son esprit. Ses jambes sont secouées de tremblements incontrôlables, sa bouche s'entrouvre. Je reconnais cet état second qui précède la jouissance brutale de ma femme. Elle active les mouvements de son bassin, s'assoit sur cette queue animée, comme si elle voulait la recevoir encore plus loin.

Son souffle court se transforme en plaintes rauques comme l'orgasme monte en elle. Roxanne se permet même quelques petits cris aigus sans cesser de bouger activement ses fesses sur son partenaire. Elle explose enfin en gémissant fortement. Elle arque le dos, ne s'appuyant au sol que du bout des doigts, et tout son corps se tend comme une canne à pêche, alors que les ondes de plaisir transforment ses gémissements en halètements.

Ma belle demeure un moment assise sur l'érection prodigieuse, reprenant son souffle et savourant cette rigidité immortelle. Maintenant, elle soulève les fesses et le pénis luisant apparaît à la lueur des bougies: fier, dur, prêt à redonner à ma femme un orgasme aussi puissant que le premier.

Mais Roxanne reste là, en sueur et essoufflée, avant de s'étendre sur les draps mouillés. Elle tient étroitement l'instrument dans sa main, comme s'il s'agissait d'un amant remarquable qu'elle regrettait de laisser partir. Ses doigts glissent sur le mélange de lubrifiant et sur son propre jus abondant. C'est presque comme si elle caressait la verge en soupirant, comblée au-delà de ses espérances, ses lèvres encore toutes grandes ouvertes tellement elles ont été forcées par l'entrée de ce pénis hors dimension.

Après plusieurs minutes, elle se lève finalement et cache l'instrument dans son tiroir de sous-vêtements, loin sous les culottes. Elle retourne à la salle de bain et je me dépêche de sortir de ma cachette, sur la pointe des pieds. Je fouille dans le tiroir et je saisis le pénis glissant, encore chaud, juste pour constater avec effarement son volume. Sa boîte est aussi cachée dans le tiroir, noire et agrémentée d'une fille aux seins nus. La facture qui l'accompagne indique que Roxanne s'est procuré son amant aujourd'hui même.

Je me dépêche de me rhabiller et je sors de la chambre. Au rez-de-chaussée, je fais claquer la porte d'entrée et j'entends les pas de ma femme sur le plancher en haut alors qu'elle regagne la chambre à coucher. Je la trouve étendue sur les draps, nue, exceptée pour une culotte de satin lavande, les joues encore rouges de ses ébats secrets. Je me penche pour l'embrasser et elle me sourit, luttant encore ferme pour contrôler sa respiration haletante.

– Tu arrives tôt, fait-elle d'une voix mielleuse, que j'associe habituellement à la période post-orgasme.

Je ne pense qu'à ce dildo et à quel point j'aimerais l'agiter moi-même pour la propulser vers de nouvelles vagues de plaisir insoupçonné. Et peut-être alors oserait-elle me révéler qui la pénètre vraiment lorsqu'elle se livre aux extraordinaires plaisirs que son amant secret semble lui procurer.

– Raconte-moi ta journée, dis-je en essayant de contrôler ma voix.

Et Roxanne prend son envol en m'expliquant les faits et gestes de la marmaille, en sage épouse et mère de famille qu'elle est. Mais je connais désormais son secret et, sous cette légère culotte de satin, je devine ses replis moites encore affamés de ce nouveau visiteur aux dimensions fabuleuses.

Le parfait voisin

Camille chasse du revers de la main la mouche qui tourne obstinément autour de son verre de limonade, posé à même la pelouse. Pour espérer combattre la chaleur humide de juillet, elle a fait couper ses beaux cheveux blonds très court, presque à ras le crâne, d'une coupe certes dénuée de style, mais axée sur son utilité.

Enrobée de quelque vingt kilos excédentaires, Camille porte son enfant à naître depuis maintenant sept mois. Ses seins, déjà volumineux à souhait avant qu'elle devienne enceinte, ont maintenant l'apparence de deux gros ballons gorgés d'eau, prêts à exploser à la moindre manipulation.

Elle a voulu profiter de cette belle journée d'été en s'installant dans une confortable chaise longue stratégiquement placée à l'ombre d'un grand érable, dans le jardin de sa maison. En l'absence de son mari, elle a jeté son dévolu sur un recueil de nouvelles érotiques qui lui procurent toutes sortes de chaleurs au bas-ventre.

C'est la toute première fois de sa vie que Camille se voit dans l'impossibilité d'enfiler un bikini. Elle porte donc un maillot une pièce spécialement conçu pour la maternité, d'un turquoise criard, comme si son physique altéré ne parvenait pas à attirer suffisamment l'attention. Le maillot est boutonné sur le devant, ce qui facilite son utilisation.

Au début de sa grossesse, Camille était heureuse de n'avoir pris que quelques petits kilos, mais elle élève désormais au rang de catastrophe ces rondeurs qui la forcent à s'habiller avec des vêtements anonymes, destinés à accommoder sa silhouette bonifiée.

Entre deux pages d'une nouvelle érotique relatant en détail la participation de l'héroïne à une orgie, Camille adresse un petit salut courtois au voisin, jeune retraité de la police, qui achève de nettoyer sa grande piscine creusée. La cinquantaine à peine entamée, il jouit d'un charme que seul un homme d'âge mûr peut exercer.

Depuis le début de l'été, période à laquelle sa femme et lui se sont portés acquéreurs de la piscine, Camille a pris l'habitude de l'épier le matin, alors qu'il nage plusieurs longueurs à un rythme effréné. Elle se poste à la fenêtre de sa chambre, à l'étage, pour admirer le jeu zélé de ses muscles sous sa peau hâlée, se répétant chaque fois que cet homme entretient une forme splendide.

Encouragé par son salut, il traverse son terrain pour venir à sa rencontre. Son torse nu est couvert d'une épaisse toison grisonnante et bouclée. Ses cheveux, aussi grisonnants et coupés court, agrémentent son visage aimable où luisent des yeux bleu acier. Ses bras et ses jambes sont musclés, puissants, propulsant sa grande silhouette avec assurance. Sa peau bronzée atteste de son exposition prolongée au soleil, alors que le renflement visible mais ferme de son ventre accuse le poids des années.

– Bonjour, Camille. Comment allez-vous aujourd'hui?

– Nous allons bien, répond-elle en posant les mains sur son ventre.

Depuis le tout début de sa grossesse, elle a pris l'habitude de parler aussi pour le bébé.

– J'ai pensé que vous aimeriez venir vous rafraîchir un peu dans la piscine. J'ai moi-même peine à tolérer cette chaleur, alors je n'ose pas imaginer ce que ce doit être pour vous.

Camille le gratifie d'un sourire engageant.

– J'accepte l'invitation avec grand plaisir. (Il lui tend la main et l'aide à se lever.) Vous nagez beaucoup, je crois, commente Camille, qui se dirige vers la propriété de l'ex-policier.

– Tous les matins, beau temps, mauvais temps. J'essaie le plus possible de me tenir en forme.

«Avec succès», songe Camille, en admirant les muscles saillir de ses cuisses, ses épaules carrées et son torse puissant.

Le gentil voisin l'aide à s'asseoir sur le rebord de la piscine. Camille s'amuse de ses précautions. Il la traite comme une poupée de porcelaine. Elle se débarrasse de ses sandales de plastique et plonge ses pieds et ses chevilles enflées dans l'eau limpide de la piscine. Elle s'appuie sur ses mains pour offrir son visage au soleil. Son voisin se glisse dans l'eau en lui souriant et en l'examinant attentivement. Ses mamelons sont devenus si gros, si durs et foncés, qu'elle sait qu'il peut aisément les discerner à travers le maillot. Elle trouve cela excitant.

– Ça fait du bien, n'est-ce pas?

– Vous ne pouvez pas imaginer! Et ce n'est pas tout de souffrir de la chaleur. Avec ce surplus de poids, je ne me peux plus.

– Vous êtes superbe.

– Merci, mais je n'en crois pas un mot.

Il s'approche et effleure accidentellement son pied. Camille frissonne, le contact de ses mains a quelque chose d'audacieux.

– Je disais justement à mon épouse ce matin que vous aviez une mine magnifique. Et puis, il n'y a rien de plus sensuel qu'une femme enceinte.

– Je suis désolée de ne pouvoir partager votre opinion. J'ai mal partout, je ne tolère pas de me voir dans le miroir et voilà deux mois que mon mari refuse de me toucher. Alors, pour la sensualité, il faudra repasser.

– Et moi, est-ce que je peux vous toucher?

Son regard intense ne la lâche pas une seconde. Camille se dit pour la première fois que cette invitation ne se limite peut-être pas seulement à une trempette dans la piscine. Et ce désir de toucher à son ventre, peut-être annonce-t-il une intention bien plus intéressante encore... mais peut-être prend-elle aussi ses propres désirs pour la réalité!

Camille défait trois boutons de son maillot et l'ouvre sur son ventre très rond. Son nombril y saille comme un troisième mamelon.

– Bien sûr, allez-y.

Son voisin glisse ses mains dans son maillot, les pose sur son ventre, s'en saisit comme d'un ballon de plage. Ses mains sont mouillées et un peu froides, si bien que Camille ne peut s'empêcher de frémir lorsqu'il les pose sur sa peau chauffée par le soleil. Il a des mains superbes, fortes, auxquelles on a envie de confier son corps.

– Vous le sentez?

– Je crois, oui.

Ce qu'elle lit dans les yeux bleus de son voisin ne peut plus souffrir d'interprétation. Il veut caresser bien plus que son ventre rond: il désire accéder à toutes ses rondeurs, à tous ses secrets, à tous ses plaisirs cachés, inaccessibles en raison du maillot. Lentement, elle défait deux autres boutons pour libérer l'accès aux mains aimantes de son bon voisin.

– Déplacez votre main, plus bas.

Elle a les joues en feu, une chaleur lourde s'abat sur ses épaules, hache sa respiration et accélère les battements de son cœur. Plutôt que de rester sur son ventre, les mains caressantes de son voisin glissent sur ses côtes. Elles effleurent tout juste la rondeur de ses seins du bout des pouces dans un mouvement qui pourrait passer pour accidentel. Elles redescendent ensuite sous le nombril, bien plus bas que ce que lui a permis Camille, jusqu'à frôler le très fin duvet blond à l'amorce de son pubis.

Camille frissonne de plaisir, tout juste assez pour que son voisin remarque son trouble. Elle défait en tremblant les derniers boutons encore fermés sur son bas-ventre, consciente qu'ils s'exposent à la vue des autres voisins, qui peuvent à leur gré assister à la scène de leurs fenêtres.

Les mains de l'ex-policier se faufilent entre le maillot et son ventre. Camille plante son regard intense dans le sien. Sa respiration se fait plus profonde. Elle écarte imperceptiblement les jambes lorsque les doigts de son voisin s'insinuent plus loin encore. Ses doigts rudes voyagent maintenant très bas sur son ventre. Par l'ouverture béante du maillot, il peut entrevoir la forêt de fins poils blonds frisant entre ses cuisses. Il peut aussi détailler le croissant de ses seins outrageusement durs, leur contour rond, leur peau satinée.

Brillant d'une lueur ardente, les yeux prodigieusement bleus de Camille lui transmettent son accord inconditionnel. Elle se penche, prend le visage de son voisin entre ses deux mains et l'embrasse d'abord timidement, encore incertaine de ses véritables intentions. Mais il lui rend son baiser, fouille même plus loin avec sa langue coquine. Elle ressent de petits chocs électriques dans sa bouche, sent les pointes de ses seins se durcir encore, sa vulve couler dans son maillot. Il embrasse avec abandon, explore infatigablement l'humidité de la bouche de Camille. Sa langue glisse sur ses dents, ses gencives, ses lèvres. Il lui communique ainsi son désir impératif de la chérir, seulement que par les jeux de sa langue avec la sienne.

Il abandonne à regret sa bouche affamée, extirpe amoureusement ses pieds de l'eau et prend un orteil de Camille dans sa bouche chaude. Il le suçote avant de le mordiller, de tirer dessus en le serrant entre ses dents.

Camille rejette la tête en arrière. C'est si bon, il y a si longtemps qu'un homme ne l'a traitée comme un femme désirable! Elle espère secrètement qu'il s'occupera de son clitoris frémissant tout comme il adore ses orteils.

Sa langue court maintenant sur le dessus de son pied, chatouillant sa peau de bébé, traçant un sillon de salive jusqu'à sa cheville. Il mord son talon rose, lèche la plante de son pied et reprend finalement un autre orteil dans sa bouche, le suçant avec application, en serrant sa cheville dans l'étau ferme de sa main. Tout en dégustant ses pieds, son voisin insinue encore sa main dans le maillot de Camille, plonge entre ses cuisses, là où une chaleur torride l'enflamme déjà.

Elle respire bruyamment alors que ses deux doigts trouvent les replis humides de sa vulve, se faufilent dans l'ouverture mouillée. Camille soulève son bassin, son maillot l'embarrasse, se dresse comme une barrière entre elle et les efforts plus que louables de son voisin. Ils sont dehors, trop exposés pour qu'elle s'en détache complètement, mais elle écarte encore les pans, livrant à la vue de tous ses seins conquérants. Elle sent le soleil caresser ses mamelons, le galbe de sa poitrine.

Sans dénigrer ses caresses attentionnées, Camille n'en peut plus d'attendre qu'il passe aux choses sérieuses. Il se hisse finalement hors de la piscine, son corps spectaculaire ruisselant d'eau, son maillot gonflé par une érection magistrale. Camille a hâte de poser ses lèvres sur sa peau, de lécher cette eau qui doit couler sur ses fesses, sur son ventre, sur sa queue. Elle a hâte de goûter à son bâton de plaisir.

— Allons à l'intérieur, propose-t-il en l'aidant à se relever.

Il la conduit à la chambre principale. Il la débarrasse prestement de son maillot et l'aide à s'étendre sur le lit. Il enlève ensuite son propre maillot avant de le lancer par terre. Le soleil entre par les fenêtres ouvertes et éclaire leurs corps d'une lumière révélatrice.

Contrairement aux autres parties de son corps, les organes génitaux de son bon voisin sont méthodiquement rasés. Camille peut donc admirer à satiété sa queue courte mais massive. Il est circoncis, ce qu'elle a toujours apprécié lorsque vient le temps de pratiquer la fellation. Elle peut ainsi glisser ses lèvres autour du gland lisse, jusqu'à la base du membre, et pousser dans sa gorge le bout brûlant du pénis. Elle préfère le contact unique d'un membre circoncis dans son vagin, jusque dans ses entrailles.

Son gland à la peau douce est rouge, comme s'il était irrité ; il pénétrerait si bien dans sa grande bouche! Rien qu'à le regarder, elle sait que son voisin se montrera un amant de valeur, qu'il saura se servir avec brio de cet instrument précieux que la nature lui a légué.

L'ex-policier vient la rejoindre sur le lit, sa queue rigoureusement dressée et ses gros testicules battant entre ses cuisses musclées. Admiratif, il baise d'abord le ventre de Camille, puis il lèche son nombril dressé. Il place ses mains en coupe sous ses seins volumineux, les soupesant avec amour. Il agace avec ses pouces ses aréoles distendues, devenues aussi larges que le diamètre d'une bouteille de bière, aussi foncées que le chocolat. Il serre ses seins entre ses doigts, comme s'il pouvait en extraire le lait maternel, pour s'abreuver ensuite à la source même de sa poitrine splendide.

Camille veut maintenant qu'il mange ses mamelons, qu'il les englobe entièrement dans sa bouche expérimentée. Elle veut ensuite qu'il la goûte, qu'il plonge sa langue bien loin dans son vagin, qu'il atteigne ces régions éloignées réservées au plus méritant, avant qu'il daigne la pénétrer de son dard court mais imposant.

Camille étend le bras et saisit l'un de ses testicules, qu'elle comprime dans sa main. Il est doux comme la peau d'un bébé, chaud aussi. Il contient ce liquide, tiède et blanc, dont elle raffole et qui coule si bien dans sa gorge. Elle veut attraper sa verge, se l'approprier pour y poser les lèvres et la langue, mais il s'écarte avant qu'elle puisse s'en saisir.

– Attendez-moi une petite seconde.

Il se dirige vers la cuisine, ce qui laisse à Camille le loisir d'observer ses fesses musclées à la lumière vive du soleil. Sa queue est toujours très raide sous la rondeur de son ventre mature. Il revient au bout de quelques secondes en tenant un pot à la main.

– Je veux vous dévorer de la tête aux pieds. J'adore le miel, mais badigeonné sur le corps frémissant d'une belle femme comme vous, ce doit être divin. Y voyez-vous un inconvénient? s'enquiert-il en ouvrant déjà le pot de miel doré.

Y voit-elle un quelconque inconvénient? C'est la proposition la plus sensuelle qu'elle ait entendue depuis des lustres. Trop excitée pour prononcer un seul mot, elle hoche seulement la tête, étourdie par le désir, anticipant de sentir ce liquide couler partout sur sa peau.

Il plonge un doigt dans le pot, le porte ensuite aux lèvres de Camille. Elle goûte au miel, suce son doigt et avale le liquide sucré. Il place ensuite le pot entre ses cuisses, y plonge le bout de sa queue et la présente à la bouche gourmande de Camille. Elle prend le gland rouge dans sa bouche, le miel le faisant glisser facilement entre ses lèvres.

– C'est d'abord pour moi la dégustation! lui rappelle son voisin, qui retire son pénis encore imbibé de la salive de Camille.

Il dépose de petites gouttelettes de miel sur les dix orteils de Camille, les suce un à un tout en retenant ses jambes pour l'empêcher de se tortiller trop frénétiquement. Elle halète maintenant, serrant entre ses doigts les draps du lit. Camille en a oublié qu'elle est enceinte et qu'elle fait l'amour avec son voisin marié. Ce dernier a terminé de manger ses orteils, tout le miel a disparu.

Il plonge encore son doigt dans le pot et enduit de miel les gros mamelons de Camille, avec un mouvement circulaire du doigt, d'abord orienté sur ses larges cernes, puis de plus en plus concentriques, jusqu'à en arriver aux pointes sensibles. Il s'en régale ensuite comme de deux friandises précieuses, il les lèche à grands coups comme un gamin se délecte d'un suçon.

Camille agrippe sa tête, tire bien involontairement sur ses cheveux grisonnants pour apaiser les tourbillons de plaisir qui la secouent à répétition. Il lui mordille les mamelons maintenant, en extirpe tout le miel qu'il y a déposé. Sa langue décrit des cercles de plus en plus larges jusqu'à humecter en entier ses gros seins. Il les serre, les pince, démontrant sans l'ombre d'un doute qu'il les apprécie et les chérit.

Il verse ensuite un peu de miel sur son ventre, le laisse se répandre jusque sur son nombril avant de le lécher avec zèle, s'assurant qu'il nettoie Camille complètement de ce nectar sucré, qu'il goûte du même coup la saveur unique de sa peau.

Il répand aussi le miel sur ses jambes, dans son cou et, pour l'agacer, à l'intérieur de ses cuisses, où il s'attarde sans franchir la zone critique. Camille se sent toute collante. Elle apprécie la langue fouineuse de son bon voisin, sa bouche perfectionniste, ses dents espiègles. Il sait y faire, se plaisant à l'enflammer, à manipuler son plaisir avec une expérience indéniable.

C'est au-delà de ses espérances qu'il affectionne à ce point ces seins qu'elle dénigrait le matin même parce qu'elle les trouvait trop volumineux. Au bout d'une heure de caresses constantes, il s'étend enfin sur le dos. Camille se hisse au-dessus de lui et s'assoit sur son visage, en prenant soin de bien écarter les cuisses pour lui offrir son dessert.

Elle se cramponne à la tête de lit et tortille son bassin et son cul sur son visage, sur sa bouche. Sa langue habile explore ses lèvres humides, sa bouche se referme sur son clitoris, sa langue reprend du service et plonge dans son vagin ruisselant après avoir doucement titillé son bouton d'amour.

Puis, mue par une impulsion aussi soudaine qu'audacieuse, Camille présente à la bouche de son partenaire la fente de ses fesses, cette vallée jusqu'à tout récemment interdite à toute langue. Il y plonge la sienne avec enthousiasme, explore ses terminaisons nerveuses. Camille bondit aussitôt de plaisir, serre un peu plus la tête du lit, frémit lorsque ses lèvres se mettent aussi de la partie.

Incertaine du goût qu'elle peut offrir, que sa région intime peut présenter pour lui, Camille lui remet sa vulve dans la bouche, la glisse sur sa langue soyeuse, l'ouvre avec ses doigts pour qu'il y fourre sa bouche encore plus loin.

Mais elle n'a pas oublié cette toute dernière sensation éprouvée, lui non plus d'ailleurs. La réaction violente de Camille ne lui a certes pas échappé. Elle plonge à son tour les doigts dans le miel, en applique une généreuse couche du bout des doigts sur sa vulve, son clitoris et, surtout, entre ses fesses, autour de son anus. Elle lui présente ensuite ces nouvelles friandises sucrées, qu'il chatouille avec sa langue de feu. Il retourne entre ses fesses, s'y enfonce, creusant avec sa langue là où peu sont allés auparavant, y introduisant progressivement la pointe de sa langue, puis plus loin, toujours intensément. Elle vrille en Camille, s'avançant petit à petit, implacablement.

Camille voit des étoiles danser devant ses yeux, tout en pressant son postérieur contre le visage de son voisin attentionné. Elle sent un doigt glisser en elle pendant que sa langue fabuleusement agile tourne autour de son clitoris et que ses lèvres la sucent et l'aspirent dans sa bouche.

Elle ignore les crampes qui se déclarent dans ses jambes. Tout ce qu'elle désire vraiment, c'est qu'il continue de déguster sa vulve détrempée avec son engouement de jeune débutant. Il y a longtemps maintenant qu'il ne reste plus de miel sur son corps. Il goûte désormais à sa chair tendre sans autre saveur que la sienne.

Il empoigne ses fesses avec ses deux mains, les serre et les caresse. Il masse son anus avec le pouce, gentiment d'abord, puis avec une telle insistance qu'il y introduit le bout de son doigt. S'acclimatant à l'intrusion, Camille l'encourage par ses gémissements, de sorte qu'il pousse plus loin son pouce, jusqu'à ce qu'il disparaisse en entier dans le cul de Camille. Il remue en elle, tourne et s'agite. Camille a maintenant perdu toute notion du temps et de l'espace. Cette bouche et ce pouce la comblent au-delà de ses attentes, chacun s'occupant d'une cavité, alternant entre les deux, avec un zèle près de l'obsession.

Ses gémissements plaintifs se transforment bientôt en cris aigus de jouissance. Elle arque le dos sous l'emprise de l'orgasme. Un courant électrique la secoue des pieds à la tête, fait se resserrer ses doigts sur la tête de lit, étirer les orteils et serrer la mâchoire jusqu'à ce qu'une chaleur intense envahisse son ventre.

Elle utilise les quelques secondes qui suivent pour reprendre ses sens. Camille le veut en elle maintenant. Elle veut qu'il la pénètre avec son beau pénis, qu'il lui procure d'autres sensations toutes aussi merveilleuses, qu'il la possède avec cette verge de marbre dressée pour la grande occasion.

Il retire son pouce encore humide du rectum de Camille, puis la fait doucement pivoter sur le dos. Aidée de son partenaire, elle s'étend sur le côté, replie ses jambes alors qu'il s'allonge contre elle. Camille sent sa toison épaisse lui chatouiller le dos, sa queue contre ses fesses et ses pectoraux fermes contre ses omoplates.

D'une main forte, il soulève sa jambe pour ainsi jouir d'un meilleur accès à son puits humide. D'un seul coup de hanche délicat, il introduit complètement sa verge en elle. Elle gémit faiblement en fermant les yeux. Après chaque poussée, il se retire de son vagin pour s'y introduire à nouveau. Camille est si mouillée que les manœuvres langoureuses de son voisin produisent un bruit de succion envoûtant.

Elle aimerait qu'il la prenne en levrette, qu'il soit même un peu plus brutal avec elle, mais sa condition actuelle ne permet pas ce genre de fantaisie. Il pose une main sur son ventre et, tandis qu'il va et vient dans son vagin, il caresse cette protubérance qu'il semble affectionner. Il pince maintenant les mamelons de Camille, avant d'en sucer les pointes érigées.

Sentant poindre de nouveau l'orgasme, Camille stimule son clitoris avec deux doigts ; elle le masse fébrilement et crie enfin son plaisir une autre fois. À peine quelques secondes plus tard, son voisin policier explose en elle, expulsant son sperme chaud dans son vagin. Il l'aide ensuite à s'asseoir au bout du lit et verse un peu de miel sur sa queue dégoulinante. Camille prend son gland dans sa bouche, goûte ce mélange de miel, de sperme et de son propre jus. Elle lèche les aspérités de son gland, promène sa langue sur la veine saillante qui serpente sa verge, puis sur son scrotum bien rasé.

Elle prend ses testicules dans ses mains, les serre avec difficulté tellement ils sont gros. Sa queue est douce, et Camille a tôt fait d'en lécher tout le miel. Elle promène encore sa langue sur ses testicules, puis tout le long de sa queue bien dure. Elle mord l'intérieur de ses cuisses, son bas-ventre, revient entre ses jambes pour aspirer avec peine un testicule en entier dans sa bouche, le gardant au chaud quelques secondes, faisant rouler le noyau avec sa langue.

Son voisin grogne de plaisir. Il tient délicatement sa tête, tandis qu'elle engloutit ses balles précieuses, une à une, à tour de rôle ; ils ressortent de sa bouche avec un son de bouteille de champagne que l'on ouvre pour la fête, enduits de salive, frissonnant de plaisir. Lui ne peut laisser ses seins tranquilles. Elle les frotte affectueusement contre ses jambes, appréciant le contact de ses poils rugueux sur ses mamelons sensibles. Il s'amuse à les caresser, à les pincer, à tirer sur les pointes durcies et rougies, comme s'il voulait traire Camille.

Elle le sent se contracter et le garde dans sa bouche sans bouger, alors qu'il explose au fond de sa gorge à jets abondants. Elle comprime ses testicules dans ses mains, les sent frémir à chaque poussée de leur précieux nectar. Elle boit tout, sans en laisser une seule goutte.

Fourbue, Camille s'allonge, les jambes encore bien écartées, désireuse de poursuivre l'exploration de tous ses sens avec son voisin, mais trop épuisée pour mettre à exécution tous ses fantasmes. Il la recouvre d'une couverture, l'air conditionné dans la maison glaçant sur sa peau les gouttes de sueur qui y perlent. Il se glisse dans le lit avec Camille, la serre dans ses bras, continue de l'embrasser en suivant le parcours sinueux de sa colonne vertébrale. Il écarte ses fesses pour y déposer un baiser, termine par ses jambes et ses pieds.

Les mamelons de Camille frétillent encore de plaisir, alors qu'il remonte en glissant sa langue humide entre ses cuisses, sur ses fesses, autour de son anus dilaté et sur le creux de ses reins endoloris. Il mordille le lobe de son oreille. Sa voix n'est plus qu'un murmure berçant.

– Me crois-tu maintenant quand je te dis que tu es superbe?

– J'aimerais bien que tu me le prouves chaque jour.

– C'est un rendez-vous.

Camille s'endort avec un grand sourire figé sur les lèvres, la main chaude de son voisin posée sur son ventre, sa queue encore dure et prête à la satisfaire, glissée entre ses fesses moites.

ᐅᖗ ᐅᖗ ᐅᖗ

En s'éveillant deux heures plus tard, Camille s'aperçoit qu'elle a repoussé la couverture à ses pieds et qu'elle gît seule en travers du lit, nue comme un ver. Ses seins lui font mal, ses mamelons meurtris attestent de l'attention soutenue qu'ils ont reçue. Sa peau est encore collante, à la fois par le miel et la transpiration. Son ventre fourmille toujours des douces sensations éprouvées sous les caresses de son voisin. De son parfait voisin plein de surprises.

Camille le sent encore en elle, devant et derrière. Elle sent encore sa langue de feu sur sa vulve, dans sa bouche, jusque sur ses orteils, sans parler de cette délicieuse dégustation de son anus. S'il n'est pas parti, peut-être acceptera-t-il de la gâter à nouveau, d'explorer une autre fois ses zones érogènes. Elle gémit d'envie en frottant ses cuisses l'une contre l'autre, provoquant une délicieuse friction à l'entrée de sa vulve.

– Bonjour. Vous avez bien dormi? dit une voix qui fait sursauter Camille.

C'est l'épouse du policier, qui a dû l'observer un certain temps. Instinctivement, Camille remonte la couverture sur sa poitrine pour se camoufler. Mais elle suspend son geste en surprenant le regard de sa voisine, en tous points similaire à celui que lui a offert plus tôt son mari lorsqu'il l'a invitée à patauger dans la piscine.

Camille rejette donc la couverture, offrant ouvertement sa nudité. Elle n'est pas certaine du tout de ce qu'elle fait, de ce que son geste implique et de la réaction qu'elle récoltera, mais elle a très envie de le découvrir.

Sa voisine, blonde également, quoique aux cheveux teints, s'approche du lit à pas de louve. Dans la belle quarantaine, elle est aussi séduisante que son mari. Elle se défait de sa robe de soleil, révélant un corps joliment sculpté, très bronzé et transpirant de chaleur.

– J'avoue que j'ai très envie de vous depuis la première fois que je vous ai vue, dit-elle d'une voix suave en libérant de l'emprise de son soutien-gorge ses petits seins dressés et fermes, déjà excités.

Camille avale péniblement, son cœur frappe dans sa poitrine. La voisine baisse sa culotte, la fait passer autour de ses chevilles et l'envoie valser dans un coin avec le maillot de Camille, révélant une toison pubienne noire finement taillée. Elle a un corps surprenant, tout en minceur, et un petit ventre bombé.

Elle rampe nue sur le lit, telle une tigresse s'approchant de sa proie, et coule son corps nerveux contre celui de Camille qui, jusqu'à maintenant, essaie d'assimiler ce qui lui arrive, de voir si elle désire ce qui s'annonce si clairement. Ses palpitations lui démontrent indéniablement que son désir et son excitation montent en flèche. Elle ferme les yeux lorsque sa voisine nue se blottit contre elle, lorsqu'elle sent ce contact soyeux contre sa peau maintenant brûlante.

– Puis-je moi aussi goûter à un peu de ce miel? s'enquiert la voisine en prenant le pot sur la table de nuit.

Mais ça, c'est une autre histoire...

Au gym

Il reste cinq petites minutes à mon programme d'entraînement. Cinq minutes à suer sur ce tapis roulant. Ensuite, ce sera la douche bienheureuse. La sueur me coule dans le dos, sur le front, entre mes seins. Mes muscles élancent, mes mollets brûlent, mais c'est si libérateur que je viens trois ou quatre fois par semaine au gym.

Ce soir, je suis venue avec Charles, mon copain. Car en plus de nos exercices réguliers, nous avons prévu un tout autre genre de pratique. Je tourne la tête pour voir Charles se diriger vers le vestiaire en m'adressant un clin d'œil. Mon cœur bat très fort, et pas seulement en raison de ma course sur le tapis.

La salle d'entraînement est déserte. Le club ferme ses portes dans trente minutes et nous semblons être les derniers à partir. La réceptionniste parle au téléphone à voix basse, probablement avec son petit ami. Le moment ne peut être mieux choisi.

Charles ressort du vestiaire et me montre le pouce, signe évident que la voie est libre. Au même moment, le tapis s'immobilise, la première partie de mon entraînement est terminée. Je prends ma serviette et je me hâte vers le vestiaire des femmes. Après avoir jeté un coup d'œil vers la réceptionniste, je constate qu'elle me tourne le dos.

Je bifurque vers le vestiaire des hommes et pénètre là où aucune femme n'a le droit d'entrer. La grande salle est vide. Seules des rangées de casiers et quelques longs bancs de bois me tiennent compagnie. Ça sent la sueur, l'après-rasage et le désodorisant.

Je me déshabille, excitée au maximum, et je marche nue vers la salle des douches qui, contrairement à celle des femmes, est constituée d'une seule grande pièce ouverte, aux murs constellés de pommeaux de douche. Je me savonne rapidement, je ne tiens pas en place.

Sans me sécher, je me dirige ensuite vers le sauna qui a été aménagé dans l'antichambre des douches. Charles doit m'y attendre. C'est mon fantasme de faire l'amour au gym, dans le vestiaire des hommes, sur le qui-vive de crainte d'être surprise. Une porte munie d'une toute petite fenêtre mène au sauna. Je l'ouvre et la chaleur m'assaille aussitôt.

– Ouf! fais-je en pénétrant dans la petite pièce.

Je me fige sur le seuil. Charles n'est pas là, mais trois autres hommes s'y trouvent. Tous sont drapés dans une serviette blanche. Ils me regardent, surpris, mais aussi visiblement enchantés par ma visite impromptue. Leurs yeux voyagent sur mon corps ruisselant d'eau, sur mes seins déjà excités, presque prêts à exploser.

Mon premier réflexe est de sortir, mais je suis figée là, impudiquement exposée à leurs yeux et mouillée comme c'est pas possible. Mon cerveau tourne à cent à l'heure. Charles a dû vérifier, il m'a clairement indiqué qu'il n'y avait plus personne dans le vestiaire. À moins que tout cela ne soit son idée… Trois hommes juste pour moi? Quelques frétillements agitent mon bas-ventre. Une chaleur totalement différente de celle propagée par le sauna m'envahit, et les jambes me manquent.

Je les examine. Le premier doit avoir dans la quarantaine avancée, avec un corps d'ancien athlète, basané, des jambes sculptées. Quelques poils gris garnissent sa poitrine. Le deuxième est assurément un Italien avec ses cheveux et ses yeux noirs, une barbe de quelques jours, l'air vicieux et macho, un petit tatouage sur l'épaule. Et le troisième, je le reconnais. Un adepte des poids et haltères, grand et aux muscles saillants, le corps imberbe. J'imagine ces trois hommes qui me prennent, parfois doucement, parfois brusquement. J'essaie de deviner ce que cachent ces trois serviettes, mais je n'ai pas à tergiverser bien longtemps.

Le premier se lève et sa serviette se retrouve justement par terre. Ma seule présence a provoqué une belle érection. Il a une grosse queue, cernée de petits poils gris et frisés. C'est visiblement un homme d'expérience avec une queue de grand gabarit dont il doit très bien savoir se servir. Il a de belles fesses rondes, c'est un superbe athlète.

Il m'enlace par-derrière, sa main caresse lentement mon ventre. Il se met à m'embrasser dans le cou, et je lui offre ma gorge en rejetant ma tête contre sa poitrine. Sa queue se loge entre mes fesses, il est très dur. Rapidement, ses mains s'emparent de mes seins excités, sa poitrine couverte de sueur glisse sur mon dos, alors qu'il masse mes mamelons érigés entre ses doigts. Je sens son ventre ferme contre mes reins, sa queue entre mes cuisses. Je veux soudain qu'il me pénètre par-derrière, là, debout, et qu'il se saisisse de mes hanches pour m'immobiliser comme il pomperait agilement sa verge dans mon ventre.

Puis l'Italien se lève aussi. Il présente un torse poilu et un ventre bien portant que comprime la serviette nouée autour de sa taille. Il la défait et la jette négligemment sur le sol. Il a une très longue verge, toute mince, en pleine érection. Loin d'avoir un corps d'athlète, il démontre le physique d'un homme qui aime bien manger. Mais c'est surtout sa queue qui attire mon attention, et l'aura animale qu'il dégage. Ce doit être un sacré baiseur, macho, fier de ses performances.

J'ai le tournis, l'air me manque. Il fait si chaud dans ce sauna! C'est torride et... si bon! L'Italien m'attire à lui et m'embrasse comme s'il me possédait. Celui qui est derrière moi serre mes seins, en faisant exploser les pointes que l'Italien croque avec vigueur. Ils font une bonne équipe. Ils me prennent en sandwich, en douceur derrière et avec vigueur devant. Mon corps s'enflamme à leur contact, mon sexe se transforme en torrent limpide. Je sens mon excitation couler sur mes cuisses. Je ne me rappelle pas un jour avoir été aussi mouillée. Là, je ne contrôle rien, je suis livrée à eux.

Le culturiste se lève à son tour, sa petite queue surgissant entre les pans de la serviette. Elle est vraiment toute petite, comparée à celles des deux autres étalons, mais tout à fait parfaite pour ma bouche. Il vient s'agenouiller entre mes jambes et fourre son nez dans mon antre ruisselant. En bon homme d'expérience, l'athlète lèche ma colonne vertébrale, le creux de mes reins et mes fesses ; il suce même l'intérieur de mes genoux. Lentement, il remonte en pointant le bout de sa langue entre mes fesses, titillant tout juste mon anus, avant de reprendre l'ascension de mon dos et de mes côtes, de grignoter mon cou et mes oreilles. Je jette mon bras derrière et je l'enlace par son cou musculeux quand il suce mes lobes. Je le laisse explorer ma bouche, puis je lui retourne passionnément son baiser, alors que ma vulve fond dans la bouche du culturiste. Il me mange doucement, en faisant tourner sa langue. Il suce mon clitoris comme une menthe fraîche, aspirant tout mon jus.

Devant, l'Italien mange mes seins à pleine bouche, avant d'explorer la mienne de sa langue fouilleuse, alors que l'athlète bifurque vers ma nuque. L'Italien tient mon visage entre ses mains, je sens sa queue battre contre mes cuisses et la langue du troisième larron dans mon vagin et sur mon clitoris. Les jambes me manquent, c'est tellement bon! Trois hommes affairés à me faire plaisir, trois types complètement différents et inconnus, tout mon corps livré à leurs attentions pressantes. Je ruisselle de sueur et de plaisir, nos corps glissants forment une danse sensuelle dans la vapeur du sauna. J'ai l'impression d'être leur jouet sexuel et je suis plus que prête à les satisfaire. Tous les trois.

Je ne résiste donc pas lorsque l'Italien me saisit brutalement et me porte jusqu'à l'estrade de bois où je me mets tout de suite à quatre pattes. J'écarte bien les jambes et il ouvre ma vulve avec ses doigts, puis il enfonce aussitôt sa longue queue aux deux tiers. C'est tout ce que je peux prendre. Bon Dieu! ce qu'elle est bonne, cette queue inconnue! Le sentiment d'interdit est aussi divin. Je trompe Charles, sans le tromper bien sûr. Je me sens totalement cochonne, osée, dépravée. Je me donne à trois hommes affamés, sans même connaître leurs prénoms. Et tous trois s'en donnent à cœur joie.

Le culturiste s'assit au niveau de mon visage et je le suce lentement, alors que le troisième nous regarde en se branlant. Je suis excitée de provoquer tout ce désir chez ces trois étalons, pourtant tous différents les uns des autres. Je serre les cuisses et je contracte les muscles de ma vulve sur la queue de l'Italien, qui gémit en se sentant ainsi coincé. Il pompe vite et fort, et ses mains serrent fortement ma croupe.

À chaque coup de butoir, je sens ses cuisses frapper mes fesses en provoquant un son qui claque dans l'espace restreint du sauna. Après quelques minutes, il se retire et vient se poster devant moi en serrant sa queue dans sa main. Elle est luisante de mon jus. Je le masturbe avec vigueur et il ne met pas long à éjaculer en longs jets sur mes seins, avant d'en sucer amoureusement les pointes ainsi assaisonnées. Il nettoie complètement mes seins avec sa bouche, avant de m'embrasser profondément pour me faire goûter à son nectar.

Maintenant, les trois hommes m'amènent dans le vestiaire où la lumière vive des néons fait briller nos corps transis de sueur. Le macho italien s'allonge sur un banc de bois et je me mets à califourchon par-dessus, mes pieds de chaque côté, mes mains appuyés sur le banc. Je descends ma vulve sur sa bouche et il s'attaque aussitôt à mon clitoris. L'athlète grisonnant se positionne derrière moi et d'un seul coup expérimenté en s'appuyant sur mes reins, me pénètre à son tour avec sa grosse queue. Je suis très mouillée et il fonce au fond de moi sans difficulté, jusqu'aux testicules. Sa queue m'écarte agréablement, beaucoup plus que celle de l'italien. Pendant qu'il va et vient langoureusement dans mon vagin, l'Italien mange mon clitoris. Le culturiste se plante debout devant moi, et je le prends au complet dans ma bouche, alors que je suis lubrifiée à fond par cette grosse bite qui se démène en moi.

Je peux avaler au complet la petite queue du culturiste, même en érection. Je la suce lentement, savourant cette bonne petite verge qui rentre bien dans ma gorge, tout en grattant les testicules avec le bout de mes ongles. Je m'arrête aussi parfois, conservant sa verge dans ma bouche, la faisant rouler sur ma langue comme pour la faire fondre. Le vestiaire est envahi par les gémissements des trois hommes et j'en suis l'unique cause. C'est tellement grisant!

Je change de position. L'athlète en sueur s'allonge sur le banc et je plie les genoux pour m'empaler sur sa queue dressée. L'Italien vient derrière et mange mon anus déjà prêt. Il en prend de grosses bouchées, en utilisant ses lèvres et en exerçant une succion sur ce petit muscle sensible. Il y plonge sa langue et l'agite frénétiquement. J'écarte de plus en plus les fesses, je sens sa salive couler de mon rectum. J'ai goûté une seule fois à la sodomie auparavant, et je suis fin prête à recommencer. Les caresses buccales de l'Italien me font tourner la tête, je sens mon anus s'ouvrir comme une fleur épanouie.

Lorsque je suis suffisamment lubrifiée, le macho glisse lentement sa longue queue dans mon rectum, centimètre par centimètre: d'abord son gland, puis toute sa verge. Ça ne semble pas vouloir finir. Il plonge très loin derrière, alors que l'athlète suspend ses mouvements dans mon vagin pour lui permettre de m'enculer à satiété.

Je pousse un cri aigu, je sens vivement ces deux hommes en moi, qui me possèdent chacun de leur côté, ces deux queues qui se mettent à bouger simultanément. Chacun à sa façon me procure un plaisir nouveau. Juste la sensation de serrer les cuisses sur deux queues dures est enivrante.

– Mmm! Oui, lentement, c'est ça, fais-je en haletant. Pas trop fort derrière! dis-je aussi pour l'Italien qui martèle déjà mon derrière à grands coups.

Je savoure ces deux queues me pénétrer. Je sens mon anus se détendre de plus en plus autour de la queue de l'Italien. Je suis pleine, écartée, et je dois négliger le petit pénis arqué du culturiste que j'ai sous les yeux pour pleinement savourer cette double pénétration. Je ne sais plus où donner de la tête.

Ils se relayent. La queue mature de l'athlète me procure quelque douleur en forçant l'entrée de mon anus, mais c'est divin. Je prends la longue verge de l'Italien dans ma bouche. Elle est chaude et douce. Je pince le gland entre mes lèvres, entre mes dents.

Le culturiste s'installe pour me pénétrer. C'est à peine si je sens son petit instrument plonger dans mon vagin, tellement la différence de taille est grande entre sa queue et l'engin divin de l'athlète. Je porte ma main entre mes jambes, où mes doigts rencontrent ces deux queues fébriles, l'une dans mon vagin et l'autre bien loin dans mon rectum. Je me sens secouée comme un pommier.

C'est finalement l'athlète, bien enfoncé dans mon cul, qui me fait jouir longuement. L'orgasme me fait trembler de tous mes membres. Mes jambes ont peine à me soutenir, mes genoux s'entrechoquent au moment où ce pénis profondément logé derrière m'amène au septième ciel. La queue de l'Italien étouffe mon cri de jouissance et je sens l'athlète décharger son plaisir dans mon rectum, alors que son va-et-vient crée mon premier orgasme par la voie arrière. Encore dur, il continue à pomper entre mes fesses. Il glisse bien, lubrifié par sa propre semence, et j'agite moi-même ma croupe sur sa verge bien huilée. Je suis encore secouée par l'orgasme, je me sens si perverse de jouir ainsi, de cette manière inédite.

Et puis, ma langue a finalement raison de l'endurance de l'Italien, qui grogne en éjaculant dans ma bouche. Je prends ses testicules tout en les comprimant. Je les sens frémir entre mes doigts à chaque jet tiède qu'ils projettent dans ma gorge. Je suce son pénis jusqu'à ce qu'il ramollisse dans ma bouche.

C'est au tour du culturiste, qui se retire de mon vagin en gémissant. Je termine en le masturbant et je recueille dans ma bouche les quelques rares gouttes qui s'échappent timidement de son pénis.

Je reste étendue sur le banc, nue et comblée, les trois hommes debout autour de moi, leurs queues humides qui pendent entre leurs cuisses. Je parie que je serais en mesure de leur redonner une belle érection, mais le club ferme et nous devons tous sortir.

Les trois hommes s'habillent à la hâte, tandis que je prends une douche rapide. Je me rhabille, le cœur battant. Charles m'attend près du bar, un grand sourire aux lèvres. Je lui administre une claque sur l'épaule.

— Cochon! Tu avais tout arrangé.

— Pas du tout! Je me suis seulement assuré de te jeter dans la gueule du loup. Ce que tu faisais ensuite dépendait entièrement de toi. Tu aurais pu ressortir sur-le-champ. Mais tu as visiblement choisi de t'offrir ces petits plaisirs.

— Ce n'est pas ce que tu aurais fait?

— Sans aucun doute. Ce n'est toutefois pas l'idée de baiser avec plusieurs femmes qui m'intéresse.

— Mmm, je sais très bien ce qui t'intéresse! fais-je en songeant à son penchant pour le voyeurisme. Il nous reste juste à trouver un autre club pour nous entraîner. Je ne pourrais plus regarder ces trois hommes en face.

— Je ne veux pas te blesser, mais je ne crois pas que ce soit ton visage qui les ait particulièrement marqués.

Je pars d'un grand rire alors que nous gagnons le stationnement. J'en aurai pour quelques jours de courbatures... que je combattrai au gym. Mais pas dans le vestiaire, cette fois...

La jarretelle

— Il vous va à ravir, monsieur, s'exclame le jeune vendeur, alors que j'examine dans le long miroir la coupe du complet italien.

Je profite souvent de l'heure du lunch pour m'absenter du bureau et faire du magasinage. Au centre-ville, toutes les commodités se trouvent à portée de la main. L'endroit constitue sans doute mon lieu de pèlerinage par excellence.

— Est-ce qu'on procède tout de suite aux retouches pour le pantalon? Ce peut être prêt dans trente minutes.

J'approuve, satisfait de mon choix pour ce deux-pièces gris anthracite. Je monte sur un podium et, tandis que l'homme prend les mesures, je laisse mon regard errer dans le magasin.

Tout près, le rayon communément appelé *La jarretelle* offre une panoplie de sous-vêtements et de vêtements de nuit pour femmes. D'abord distraitement, je regarde une femme qui évolue au milieu des étalages et qui laisse sa main effleurer les tissus. Puis, je la regarde parce qu'elle me regarde, sans aucune gêne; malgré mon regard, ses yeux vrillent sur moi avec insistance.

Je la situe dans la mi-trentaine, avec cette beauté naturelle qu'ont les femmes de cet âge. De taille moyenne, ses magnifiques yeux bleus agrémentent son visage ovale aux traits fins.

Ses longs cheveux bruns sont noués derrière sa tête. Elle présente un corps ferme tout en courbes, des épaules noueuses de nageuse; sa robe d'été, toute légère, dénude son dos d'une peau brune parfaite. Ses jolis pieds sont découverts par des sandales à talons, brunes comme son sac à main. Elle est superbe, pas seulement grâce à son physique flatteur, mais aussi par cette attitude désinvolte qui caractérise les gens sûrs d'eux.

Après m'être défait du complet, j'acquitte la facture et je me dirige vers l'escalier roulant, décidé à manger un morceau au sous-sol, où des restaurants ont été aménagés. Je passe donc par *La jarretelle*, cherchant peut-être un peu l'inconnue du regard, puis surpris de la trouver directement sur mon chemin.

Sa main chaude agrippe mon bras et le serre brièvement, mais juste assez longtemps pour communiquer un message sans équivoque. Elle me dévisage, longtemps, avant de placer devant elle deux pièce de vêtements.

– Lequel préférez-vous? La nuisette ou le pyjama? demande-t-elle le plus sérieusement du monde.

Je la regarde encore, elle est belle à couper le souffle. Ses yeux ont quelque chose d'hypnotique. Un demi-sourire se dessine sur ses lèvres pleines, alors qu'elle tient les vêtements de nuit contre sa poitrine. Ses lèvres doivent être géniales à embrasser; sa bouche généreuse attise le désir. Je baisse finalement les yeux sur les deux vêtements.

– Je ne sais pas. Ce serait préférable que vous les enfiliez, vous ne pensez pas?

– Tout à fait, dit-elle avec un grand sourire cette fois, avant de se diriger vers les cabines d'essayage.

Je la suis à distance alors que la vendeuse la fait entrer dans un salon d'essayage. Elle me sourit, croyant que je dois être son conjoint, et s'en va servir une autre cliente. J'attends impatient qu'elle se soit éloignée, puis j'actionne le déclenchement de la porte. L'inconnue occupe le dernier cubicule, probablement choisi pour l'occasion...

Je tire tout doucement sur le rideau, le cœur battant, m'administrant toutes les injures pour la témérité suicidaire que j'affiche. Mais j'en suis vite récompensé lorsque je la vois, cloîtrée dans ce petit espace discret. Elle porte la nuisette et rien d'autre. Tous ses vêtements sont accrochés au support mural, sa culotte et son soutien-gorge blanc à balconnets sur le dessus. Pieds nus sur la moquette, elle s'examine tranquillement dans la glace. Le tissu blanc de la nuisette complimente son teint mât. Les fines bretelles dénudent ses épaules d'athlète, alors que le léger vêtement tombe à peine sous ses fesses ourlées.

Elle sourit à mon reflet. Elle savait que je viendrais, elle voulait que je sois là. J'entre dans la cabine et je tire sur le rideau. Je l'enlace par-derrière et je l'embrasse sur la nuque. Elle étire le bras et agrippe furieusement mes cheveux, comme pour s'assurer que je ne m'enfuirai pas.

Je pose les mains sur ses hanches et je l'aide à monter sur le banc pour s'y agenouiller. Elle plaque ses mains contre le mur pour garder son équilibre et je m'accroupis derrière elle. Mes mains effleurent ses cuisses satinées, puis ses mollets musclés, et finalement ses pieds cambrés à la plante très douce. Elle a de jolis orteils manucurés, peints d'un bleu azur, comme ses yeux. Le cœur battant, je retrousse sa nuisette sur ses reins, exposant ses fesses hâlées, tels deux croissants dorés. Elles sont parfaites, rondes, et s'ouvrent complètement pour exposer son sexe charnu.

Je regarde sa vulve, bien exposée à la lumière, ses grandes lèvres gonflées et affriolantes, à peine dissimulées dans les poils foncés. Incapable de me retenir, je dépose un baiser respectueux sur les lèvres épaisses entourées de ces poils noirs. Je porte mon nez contre son fruit et je hume profondément sa caverne. Elle sent bon, un musc exquis. Elle frémit et mes mains qui étreignent ses jambes me transmettent sa vibration.

Ses cuisses fermes sont brûlantes et je les embrasse à l'intersection de sa vulve, que je caresse du coup du bout de mon nez. Au loin, j'entends les caisses enregistreuses s'activer, des clients discuter. Là, sous ma bouche, je sens cette inconnue frissonner de tous ses membres alors que je rencontre son intimité. Je souffle doucement sur ses lèvres entrouvertes et elles frémissent. L'inconnue bouge les genoux et tout son fruit s'ouvre lorsqu'elle remonte son bassin, dans une position très athlétique, les muscles de ses jambes bandés.

Si lentement, je glisse ma langue sur ses lèvres roses, les touchant à peine, et cette caresse provoque une décharge électrique dans tout son corps. Elle halète, et sa simple respiration fait ouvrir encore plus sa vulve. J'en profite pour y saucer ma langue. Elle est serrée, comme si elle n'avait jamais été explorée avant. Son sanctuaire est chaud, mouillé, et les poils qui en gardent les secrets chatouillent gentiment mon menton.

Je pose les mains sur ses fesses, si douces, et je les caresse lentement. Je les monte sur ses reins, je les laisse là, tandis que je lèche sa chatte toute mouillée. Ses poils espiègles collent à ses cuisses, j'ai tout le visage barbouillé de son jus délicieux. Mon nez et ma bouche trempent dans sa vulve, s'imbibent de ce cocktail exquis, s'abreuvent à la source même de sa féminité.

Je tourne ma langue sur son clitoris enflé, comme pour l'étourdir, je le prends dans ma bouche, le suce, le cajole, le racle de mes dents. Je vois ses orteils se crisper, se replier, et je sais qu'elle apprécie mes caresses sur sa cerise en émoi.

Je mords ses cuisses avec appétit, je suce ses fesses brunes et je lorgne vers son petit anneau foncé. Mais je n'ose pas. Comment réagirait-elle? Je lèche doucement le sillon entre ses fesses, m'approchant insidieusement sans toucher de ce petit cercle de plaisir, et je grignote sa chair près de son puits en ébullition. Du bout du doigt, je masse ses lèvres, je fais mine de le pousser à l'intérieur de son jardin serré. Elle souffle, prête à le recevoir, mais je le retire plutôt pour reprendre ma succulente dégustation.

Lorsque je sens qu'elle atteint l'apogée, que ses jambes tremblent, incapables d'empêcher ses genoux de s'entrechoquer, je quitte à regret sa pêche fraîche pour lécher ses cuisses soyeuses, sucer l'arrière de ses genoux en sueur et baiser les os de ses chevilles. Je lève les yeux et je regarde son joli visage. Elle garde les yeux fermés, quelques longues mèches de cheveux s'échappent de son catogan et pendent autour de sa figure ; sa bouche entrouverte témoigne de son égarement total.

Elle serre les lèvres pour étouffer ses gémissements. Les bretelles spaghetti de la nuisette, tendues au maximum par sa position précaire, révèlent ses seins aux mamelons sombres et gonflés par la gravité. Lorsque je suis certain que l'orgasme lui a échappé et lorsque sa respiration reprend une cadence un rien plus régulière, je remonte vers son firmament. Ma langue bien pendue sillonne ses jambes et, à mi-cuisses, je retrouve le goût unique de son jus. Je retourne patiemment communier avec sa vulve, que je prends toute entière dans ma bouche.

Je ferme les yeux et je suce ses lèvres, j'aspire son essence, j'avale son nectar, puis je reprends l'assaut de sa cerise. Je fais tournoyer ma langue tout autour, lentement d'abord, puis plus vite, en alternant le tempo. Je serre ensuite son bouton entre mes lèvres, je le tiens prisonnier, je le tire, le suce, le lèche. Son puits coule à flots sur mon menton, alors que je la butine passionnément, la bouche grande ouverte pour boire son essence savoureuse. Elle presse ses fesses contre mon visage, comme si elle voulait forcer sa vulve dans ma bouche, toujours plus loin.

Ses jambes se remettent à trembler, tout son corps oscille d'avant en arrière, et je fais alors papilloter tout juste le bout de ma langue sur son bourgeon prêt à éclore. Mes mains caressant ses cuisses captent la tension dans ses muscles, le flot de l'orgasme qui voyage dans son corps. Je serre ses mollets musclés par le jogging et je colle ma bouche à sa vulve, alors que tous ses muscles subissent les soubresauts d'un orgasme inattendu en ce midi de mai.

Je lèche goulûment son clitoris jusqu'à ce que les derniers tremblements de ses jambes s'évanouissent ; j'en profite pour plonger mon nez dans son tunnel bien ouvert. Je termine comme j'ai commencé et je baise tendrement sa chatte repue, encore follement appétissante.

En levant les yeux, j'admire son ventre un peu rond, ses seins gonflés tout aussi invitants et je croise enfin son regard voilé par la jouissance. Elle sourit doucement et je lui réponds de la même manière. Avant de sortir de la cabine, je remets sa nuisette en place sur ses hanches en la caressant au passage, déçu de l'abandonner ainsi. Je vérifie que personne ne me voit et je gagne le rayon des hommes en essuyant ma bouche et mon menton. Mon complet est prêt et je le ramasse avant de gagner l'escalier roulant. J'ai l'impression folle qu'on peut détecter dans mon haleine la saveur unique de l'inconnue.

Je ne la revois pas cet après-midi-là, je ne la reverrai sans doute jamais. J'ignore son nom, d'ailleurs. Mais je me souviendrai longtemps de cette collation exquise que l'inconnue m'a offerte pour ce dîner très spécial et qui a suspendu durant plusieurs jours à mes lèvres un sourire béat de satisfaction.

Sa première fois

Pour pimenter nos ébats, ma femme et moi nous sommes mis à jouer récemment au jeu du fantasme. Il s'agit d'élaborer une histoire autour d'une série de pensées cochonnes que nous entretenons. Le simple fait de les partager nous procure une excitation qui décuple notre plaisir sexuel.

Mes fantasmes sont aussi nombreux que variés: baise à trois impliquant deux hommes ou encore voir ma femme faire l'amour à un autre homme. J'avoue que ce sont ceux-là qui m'excitent le plus. J'aimerais voir ma femme s'activer avec un autre, juste pour voir ce qu'elle ferait différemment, et aussi pour la regarder jouir grâce aux caresses d'un concurrent. Peut-être est-ce aussi pour ressentir ce petit pincement de jalousie en la voyant baiser avec le gars idéal: bien bâti et juste assez musclé, bien membré, sensuel, avec les cheveux longs comme elle les aime. Je ne voudrais pas seulement qu'elle couche avec un autre, je voudrais surtout y assister. Et qu'elle n'y prenne aucun plaisir constituerait pour moi une grande déception.

Mes autres fantasmes impliquent de voir ma femme faire l'amour avec une autre femme ou baiser à mort avec l'une de ses amies, pour nommer les plus importants. Et je serais partant pour les réaliser du premier au dernier. Tous, sauf celui impliquant son amie. Il est impossible à réaliser puisqu'elle est déjà en couple, et plutôt dangereux en raison de leur relation amicale. Mais ma femme prétend qu'un fantasme doit rester à ce rang et qu'il ne doit donc être réalisé sous aucun prétexte.

Les fantasmes de ma femme se sont d'abord révélés plutôt banals: faire l'amour dans la nature, faire l'amour au bureau... ce genre de trucs. Mais il devait y avoir autre chose et en m'entêtant, elle m'a finalement avoué que ses deux plus grands fantasmes étaient de faire l'amour à trois, impliquant préférablement une autre femme, et même de carrément se livrer aux caresses exclusives d'une femme.

Mais Isabelle se défendait bien de vouloir faire l'amour à une femme dans la réalité. Elle prétendait vouloir être essentiellement passive et bénéficier de caresses féminines. Pourtant, encore une fois en insistant, elle m'a affirmé avec détachement que d'embrasser une femme ne serait pas bien différent que d'embrasser un homme. Et que les fesses d'une femme et celles d'un homme revenaient sensiblement à la même chose. J'imagine que c'était une manière de banaliser son fantasme. Car l'un et l'autre recèlent une mer de différences. Je ne peux imaginer que je ressentirais les mêmes émotions à embrasser un homme et une femme, et encore moins à caresser le corps d'un homme.

Mais Isabelle affirmait que même en s'adonnant volontiers à certaines caresses, jamais elle ne poserait la bouche sur une vulve, pour finalement céder plus tard à mes questions et dire qu'elle serait tout à fait prête à faire un cunnilingus, en prenant soin d'ajouter qu'elle n'y trouverait aucun plaisir. Probablement qu'en la questionnant un peu plus, elle aurait avoué éprouver le fantasme de manger une autre femme. C'est comme si elle avait peur que je la considère comme une lesbienne.

En plus de percevoir un fantasme comme une pensée qui ne devait pas être réalisée, Isabelle disait qu'elle manquerait de courage pour passer à l'acte. Je me suis alors dit que je pourrais créer de toutes pièces l'atmosphère propice pour le réaliser. Devant le fait accompli, elle n'aurait d'autre choix que de s'y livrer.

Ne restait qu'à dénicher une partenaire consentante. Après mûre réflexion, et une certaine dose de courage, j'ai abordé le sujet avec celle que j'avais choisie. Je savais qu'elle plairait à Isabelle. Elle me plaisait aussi, et je l'imaginais déjà très bien faisant l'amour à mon épouse.

Nerveusement, je lui ai exposé de quelle manière je pensais actualiser le fantasme d'Isabelle. Plus je parlais et plus son visage virait au rouge. Gêne ou excitation? Sur le moment, je n'aurais su le dire. Elle a pris les photographies de mon épouse, certaines l'illustrant en maillot de bain, alors que quelques autres prises dans un hôtel lors d'un anniversaire de couple la montraient totalement nue. Elle m'a demandé de lui accorder quelque temps de réflexion pour digérer tout ça et pour décider si elle participerait ou non à mon petit jeu.

Deux semaines plus tard, elle m'appelait au bureau; je tenais notre nouvelle partenaire. Ne restait plus qu'à tout arranger pour que ma femme accepte de se prêter au petit jeu. J'avais déjà ma petite idée. Je laisse donc le soin à Isabelle de raconter le reste de l'histoire comme si elle la vivait de nouveau...

ഃ ഃ ഃ

C'est un samedi pluvieux. Depuis ce matin, mon mari et moi discutons de nos fantasmes et de nos ex-partenaires sexuels. Vers l'heure du souper, nous n'en pouvons déjà plus d'attendre que nos trois enfants soient couchés. C'est donc dans une effervescence à peine contenue que je me précipite sous la douche dès qu'ils sombrent dans le sommeil.

Sans trop savoir pourquoi, je me sens nerveuse, anxieuse de passer à l'acte. Les discussions frivoles de la journée m'ont excitée au plus haut point et je ne pense qu'à me glisser nue sous les draps pour faire l'amour.

Après cinq petites minutes sous la douche, un record pour moi, je me drape d'une serviette et je retourne à notre chambre. Je veux déposer ma serviette dans le panier du *walk-in*, mais Nicolas me retient par la main. Il m'enlève plutôt la serviette, ses doigts effleurant mes seins au passage. Je fais la même chose avec la sienne et je vois dans la pénombre qu'il est déjà bien bandé. Nicolas me pousse gentiment jusqu'au lit et il étire le bras pour ouvrir le tiroir de la table de chevet. A-t-il acheté un autre jouet, du même genre que ce vibrateur géant qu'il a exhibé quelques semaines plus tôt? Je suis toujours partante pour ses petits jeux et je frissonne à l'idée qu'il me réserve une autre surprise. Sa main pêche un masque noir en velours et je souris.

En discutant de nos fantasmes, je lui avais dit qu'ils ne pourraient jamais se réaliser, à moins que nous ne trouvions autre chose de moins compromettant. Il avait alors soumis l'idée de me bander les yeux, ce qui avait allumé en moi une certaine curiosité…

Je souris et je prends l'objet dans ma main.

– Tu as acheté ça?

Mon excitation redouble, l'idée de faire l'amour sans rien voir a quelque chose d'attrayant.

– Tu te souviens qu'on a parlé de ça?

Je fais oui et il pose sur mes yeux le masque qui m'aveugle. Je m'étends ensuite sur le lit, les nerfs en ébullition, les seins durs comme le roc. Nicolas se love contre moi et m'embrasse longuement, en roulant sa langue sur mes lèvres. Je le sens impatient, investi d'une passion qui provoque des fourmillements dans mon ventre.

Puis, lentement, il promène sa langue sur mon corps, lèche mes aisselles, mes biceps, s'attarde sur mes seins, qu'il suce longtemps. Le masque est merveilleux car je ne sais pas où il va aller ensuite. Il lèche mon ventre, mes cuisses, tardant à manger ma chatte excitée. Je veux tellement sentir sa langue que je soulève le bassin, je veux qu'il me dévore tout de suite. Je suis mouillée, prête à me faire butiner.

Lorsqu'il pose finalement les lèvres sur ma vulve, je soulève le bassin en gémissant. Il lèche lentement mon clitoris et j'entre en éruption. Nicolas se déplace, le lit grince, et je change légèrement de position pour ouvrir un peu plus ma fleur. J'entends le clic de l'interrupteur alors qu'il allume le plafonnier. Je suis là, sur le lit, exposée à la grande lumière, et diablement excitée.

Il revient finalement à l'assaut de ma chatte haletante. Je sursaute sous l'emprise des mouvements habiles de sa langue tiède, qui titille ma cerise. Sous le masque, je fronce les sourcils. Il y a quelque chose de bizarre. Je gémis lorsque sa langue sillonne mes lèvres, lorsque deux doigts ouvrent ma vulve et que sa langue plonge en kamikaze dans mon tunnel. Deux doigts fins, trop petits pour être ceux de Nicolas. Et puis, une bouche qui manœuvre bien mieux, qui me fait frissonner et gémir à n'en plus finir.

Ces mains douces, qui ne peuvent être celles de mon mari, se mettent à courir sur mon corps, juste le bout des doigts, juste les ongles longs. Je me sens vibrer, je pousse un soupir. Mon Dieu! se pourrait-il que...? Non, il n'aurait pas osé... On me caresse du bout des doigts ; c'est à peine si on touche ma peau. Les mains chaudes palpent mes cuisses en feu, puis elles errent dans mon dos, mon cou, avant de venir agacer mes seins tendus à éclater.

Je suis terrifiée, mais en même temps excitée comme c'est pas possible. Où est donc Nicolas? Et qui est cette femme qui me fait l'amour? Car je suis convaincue que c'est une femme. La douceur de ses doigts, l'habileté de sa langue. Dois-je enlever le masque? Je décide que non. Car si je l'enlève, je mettrai fin au jeu. Et c'est trop bon, trop annonciateur de plaisirs inconnus, pour que j'y mette un terme. Je joue l'innocence. J'oscille entre colère et extase, mais la langue tiède qui glisse sur mon dos provoque une onde de plaisirs qui expédie des chocs électriques dans tout mon corps.

Mon amante se blottit derrière moi et je sens la caresse de ses mamelons sur ma peau, la chaleur humide de sa vulve épilée sur ma cuisse, la douceur de ses pieds sur les miens. Ses mains courent sur mon corps. J'étouffe, je suffoque, je n'en peux plus.

Je me retourne et je cherche sa bouche. Je respire son haleine de menthe fraîche, son parfum envoûtant. Elle m'embrasse, elle a des lèvres boudeuses, épaisses. Sa langue roule sur mes dents. Seigneur! elle embrasse si bien! Je rejette la tête en arrière et elle lèche ma gorge. Elle suce mon menton, ma nuque; ses doigts menus agacent mes mamelons. Timidement, j'avance les mains et je trouve sa hanche, sa cuisse de velours, sa fesse musclée. Je remonte et je touche un sein menu, au mamelon petit, dur et érigé.

J'ondule mon corps contre le sien, sensuellement et en silence. Mon amante s'étend sur moi. Nos poitrines se rencontrent, nos mamelons se touchent et sa chatte épilée vient se frotter contre la mienne, plus poilue. J'ai perdu la notion du temps, de l'espace.

Mon amante impose un mouvement qui provoque une friction de nos clitoris ensemble. Je gémis. C'est si bon! Elle amorce une très lente descente, ses petits seins excités frottent contre mon ventre rebondi. J'étire les bras et j'agrippe la tête de lit. Je m'abandonne à cette langue exquise qui glisse maintenant sur mes côtes. Ça chatouille, c'est divin!

Ses doigts ne cessent de fureter sur mon corps, comme si elle lisait le braille sur ma peau. Ces effleurements me font vibrer de plaisir. Je me tends contre son corps chaud, je l'enlace et je caresse son dos. Ses caresses sont si subtiles, si délicates, rien qu'un homme puisse connaître.

Je me retourne sur le ventre et mon amante lèche mes fesses, mord ma chair, et remonte ma colonne vertébrale du bout de la langue, en y déposant de petits baisers brûlants.

Elle presse ses seins contre mon dos moite et je peux sentir l'empreinte laissée par ses petits bouts durs sur ma peau frémissante. Elle frotte sa vulve contre ma cuisse gauche, et elle y laisse la trace mouillée de son excitation.

Toujours aveugle, j'agonise de plaisir. Mes seins se gonflent à chacune de mes respirations, j'agite mes orteils dans la bouche aimante de ma partenaire et je me caresse les seins, je les serre dans mes mains.

Lorsque mon amante remonte enfin vers mon entrejambe, je suis prête à exploser, je perds la tête, je lui crie presque de se dépêcher. Puis le lit vacille, nous sommes maintenant trois. Nicolas! Je l'avais oublié, il se joint à nous, je sens son haleine près de mon visage.

Mes deux amants se rencontrent au-dessus de mes seins tendus. Tout est silencieux, j'ai l'impression que mon amante les observe. Ils ne sont pas fermes comme les siens, mais plus gros, et les mamelons sont plus distendus. Elle les embrasse tout doucement; je sens le bout de ses lèvres sur mes pointes érigées et je suis prête à crier. Elle affectionne visiblement mes gros mamelons, mes pointes longues, comme Nicolas les aime. Elle s'attarde à les sucer, pour ce qui me semble une éternité. Ses lèvres sont douces, ses caresses aussi. Je sens qu'elle doit ouvrir toute grande sa bouche pour gober mes grosses aréoles.

La bouche plus agressive de Nicolas se joint à celle, sulfureuse, de mon amante. Elles s'attaquent toutes deux à mes seins, chacune suçant une aréole. Je presse mes seins dans mes mains, comme pour faire éclore leurs bouts matures dans leurs bouches survoltées. Je gémis de plus en plus fort, me débarrassant de ma retenue, imaginant cette femme nue qui me fait l'amour en pleine lumière comme jamais personne ne me l'a fait. Mes partenaires se déplacent, le lit grince encore. Ils plaquent leurs bouches sur la mienne et ma langue voyage de l'une à l'autre, du masculin au féminin, goûtant leur saveur unique.

Lorsque mon amante fond finalement entre mes cuisses, je pousse un long gémissement. Je suis si mouillée que je sens mon excitation couler sur mes cuisses. La langue fébrile de mon amante provoque un son humide et excitant lorsqu'elle se plaque sur ma vulve.

Je sens les deux mains solides de mon mari qui emprisonnent mes chevilles et forcent l'ouverture de mes jambes. Mon amante en profite pour me manger avec passion, avec un engouement qui me soutire une plainte gutturale.

J'étire le bras et j'agrippe la jambe de mon mari. Je l'attire à moi et, en tâtonnant, je lui lèche les testicules. Il adore ça. Mais la langue entre mes cuisses est si extraordinaire que je ne peux me concentrer longtemps sur les boules de mon mari. Je me tortille, je soupire pendant que la bouche de mon amante est soudée à ma vulve. Elle suce si doucement mon clitoris que les larmes me montent aux yeux. Cette langue féminine qui laboure mes chairs mouillées est si agile! Elle sait exactement où se poser pour me faire grimper au nirvana.

C'est ça une partie de la source de mon fantasme: faire l'amour avec une personne qui connaît exactement les caresses qui me rendent folle. Et cette personne ne pouvait être qu'une femme. À n'en pas douter, ce doit être aussi enivrant de donner ces caresses, de voir que ma langue, mes doigts, mon souffle peuvent engendrer autant de frissons, de plaisir brut. Et je commence à penser que je serai capable de le faire.

Je me sens couler dans la bouche de mon amante. Qui peut-elle être? Est-ce que je la connais? Est-ce une de mes amies? Je sursaute lorsque la langue de Nicolas se joint à l'autre. Ils me lèchent en chœur. Mon amante glisse un doigt, puis deux dans ma vulve, alors que deux langues secouent mon clitoris. Je n'en peux plus, le plaisir me fait trembler de tous mes membres.

Les mains de mon mari me manipulent et je me retrouve à quatre pattes. Je sens mon amante derrière et mon mari dessous. Ils mangent de nouveau ma chatte incroyablement mouillée, leurs deux langues s'emmêlant à l'orée de mon tunnel. Mon amante suce aussi mon anus, mais si doucement, à peine une caresse humide sur mon petit cercle sensible, que je me demande si ce n'est pas le fruit de mon imagination.

Je me concentre sur ces deux langues, sur ces quatre mains qui caressent ma peau, sur ces deux souffles chauds qui font frémir ma vulve. J'étire le bras et je touche au visage de mon amante. Elle embrasse mes doigts, suce mon pouce. Son visage est doux, ses lèvres humides de mon jus.

J'arque le dos, en proie à un plaisir jusque-là inconnu. Je tremble de la tête aux pieds et je crispe les orteils alors que la langue de mon amante lèche brillamment ma vulve détrempée.

Le lit grince encore, et Nicolas vient sucer mes mamelons qui pendent sur son visage, alors que mon amante redouble d'énergie sur mon clitoris enflé. Nicolas lèche mes pointes, je sens sa barbe rêche frotter sur ma peau douce. Il mord mes bouts, les étire dans sa bouche, juste au seuil de la douleur. Assaillie de toutes parts, je m'abandonne, aveugle et haletante. Je ne suis plus qu'un terrain de jeux pour ces deux langues, ces quatre mains, ces deux doigts qui m'envahissent plus bas.

Je me mets à me lamenter alors que mes partenaires unissent de nouveau leurs efforts sur ma vulve en éruption, que je sens s'ouvrir toute grande au moment où la jouissance me secoue comme un pommier.

– Oh oui! Continuez, je viens!

Je ne reconnais pas ma voix, rauque et essoufflée. J'enfouis mon visage dans un oreiller, ce n'est pas le temps de réveiller les enfants. Je hurle alors qu'un orgasme foudroyant circule dans mon corps. Je m'affaisse sur mon mari, la langue de mon amante toujours bien pendue entre mes fesses.

J'ai à peine le temps de reprendre mon souffle que je sens le lit tanguer. Le gland de Nicolas pousse derrière, à l'orée de ma vulve. Je suis si ouverte que je le sens à peine lorsqu'il me pénètre.

Mon amante s'est allongée sous moi, sa tête juste sous ma vulve prise d'assaut par la verge de mon mari. Je sens son souffle entre mes cuisses. Elle suce mon clitoris, son nez mouillé doit glisser sur les testicules de mon mari et, inévitablement, sa langue frénétique doit lui laper les boules au passage. Cette image m'excite, je retire presque le masque pour observer, mais je me retiens. Je ne suis pas prête à affronter le regard de mon amante.

Je penche la tête, je peux sentir sa vulve qui doit être juste sous mon nez. Je ne peux me résoudre à la prendre dans ma bouche. J'en ai pourtant envie. J'amène mes lèvres tout près, j'embrasse ses cuisses chaudes, je lèche son ventre doux, très différent de l'abdomen poilu de mon mari.

Je sens derrière que mon amante saisit la queue de Nicolas et l'extirpe de mon vagin. Elle plonge sa langue en moi, dans cette ouverture béante ainsi créée, lèche avec appétit mon clitoris, avant de replonger le pénis de Nicolas dans mon puits lubrifié. Sa langue est extraordinaire, elle pourlèche mes lèvres étirées tout autour de la grosse queue de mon mari, qui pompe dans mon ventre.

Encore une fois, Nicolas me manipule et je me retrouve sur le côté. Lui derrière moi et mon amante devant. Pendant qu'il me pénètre de nouveau, les mains de mon amante saisissent mon visage et elle m'embrasse à pleine bouche. Je goûte ma propre mixture sur ses lèvres et sur sa langue. Je baisse les mains et je saisis ses petits seins, aux pointes étonnamment longues. Ses mains menues se referment sur ma poitrine, tout doucement, et je sens encore mes bouts durcir.

Je me décide et j'abaisse mes lèvres sur son mamelon. Sa longueur remplit ma bouche. Je le tète, le lèche, le mord. Il est chaud, doux, je gémis alors que je suce avec abandon ce bouton excité avant de passer à l'autre. Derrière, la queue de mon mari me procure toutes sortes de plaisirs. Je baisse ma main et je trouve la vulve épilée de mon amante. Je la caresse du bout des doigts, elle est encore plus mouillée que moi, si c'est possible.

Je me crispe, je sens monter le courant électrisant de l'orgasme chez Nicolas. Il éjacule en grognant, interminablement, et les jets de sa semence explosent en moi. Il se retire rapidement alors que mon amante soulève ma cuisse et boit le sperme tiède qui s'écoule entre mes jambes, son nez bien appuyé contre mon anus mouillé. Je me couche sur le dos, savourant cette autre nouveauté.

Le lit grince et je pressens la queue de Nicolas avant qu'il la dépose sur mes lèvres. Je lèche son gland, puis je le suce avidement. Le sperme qui reste sur sa queue facilite les mouvements de son pénis dans ma petite bouche. Je cherche ma respiration, la langue de mon amante me tourmente. Il faut que je le fasse, j'en ai envie, je veux savoir comment c'est. Ma curiosité est trop grande.

Comme si elle avait deviné, mon amante me retourne. Je me retrouve par-dessus et elle en dessous, ma vulve pressée sur sa bouche. J'entoure ses cuisses de mes mains. Je baisse la tête, je peux humer son intimité. C'est différent de Nicolas, un musc plus accentué mais pas désagréable. Je suis soudain affamée d'explorer son corps, anxieuse de lui rendre la monnaie de sa pièce et de l'entendre jouir, à défaut de la voir.

Je pourrais enlever le bandeau, mais non. Il vaut mieux que je ne vois pas. Je pourrais avoir un blocage, je ne sais pas. Tout doucement, j'embrasse sa vulve détrempée et épilée, alors que mon menton frotte cet épais triangle de poils qui surmonte son fruit mûr, comme une flèche pointant vers le centre d'attraction.

La sensation est étrange. C'est chaud, mouillé et ça n'a pas de goût comme je l'avais imaginé. Elle sent bon, un parfum étourdissant qui m'encourage à pointer la langue à la recherche de son clitoris. Je la sens tressaillir alors que je suce son bouton, que j'aspire son jus et que je lèche l'orée de son vagin. Sa langue à elle fait relâche derrière et tout son corps se détend pour apprécier mes caresses.

Mes doigts courent sur ses cuisses douces et là, tout à coup, je suis déchaînée. Je mange furieusement sa vulve, son clitoris. Mon nez plonge dans sa chatte épanouie. Je sais que Nicolas me regarde, excité, et cette pensée ne fait que décupler ma rage de manger cette pêche épilée. Il doit observer ma salive se déposer sur ses lèvres ouvertes, sur ses cuisses, et son jus qui macule ma bouche.

J'écarte doucement ses fesses et je lèche son anus, que je sens s'ouvrir sous mes lèvres. Mon amante gémit, prononce tout bas des mots inintelligibles. C'est la première fois que j'entends sa voix mais, comme elle est trop ténue, je ne la reconnais pas. Je sais ce qui me fait grimper au septième ciel et j'insère deux doigts dans son vagin, tout en suçant sa cerise. Elle gémit plus fort, se contorsionne, puis elle reprend l'assaut de ma vulve qui gît sur sa figure.

Je sens ma partenaire se cambrer sous mes caresses, alors même que sa langue s'insinue dans mon vagin et amorce en moi une nouvelle vague de plaisirs. Je m'acharne sur son clitoris; en jouissant, mon amante ouvre plus grand les cuisses pour que je lèche tout son fuit mûr. Je le tiens dans ma bouche alors qu'elle jouit sans bruit, seules les vibrations de son corps m'indiquant qu'elle a atteint l'apogée de l'orgasme.

J'attends que les derniers soubresauts aient fini de la secouer avant de me concentrer sur mon plaisir. Je me redresse sur mes pieds, posés de chaque côté de son visage, et je m'accroupis carrément au-dessus de sa bouche. Cette position dévoile toute grande ma vulve à l'exploration de sa langue et je me sens couler dans sa bouche.

Elle lèche mes lèvres juteuses. Elle les titille avec la pointe humide de sa langue, elle sait précisément comment me faire perdre la raison. Avec le bout de son ongle, elle gratte doucement mon anus et je gémis en agitant mes fesses.

La langue de mon mari vient agacer mon anus, alors que celle de mon amante tourne sur mon bouton. Ces deux langues attentionnées me transmettent des frissons. Je pousse mes fesses sur le visage de mon mari et sa langue fonce dans mon derrière. Pénétrée par deux langues chaudes, je n'ai plus aucun contrôle.

Éberluée, j'agrippe les draps et un nouvel orgasme me chavire. Je frotte mon pubis sur le menton de mon amante, fort. Je pleure, mon mari se retire et seule la langue de mon amante savoure mon clitoris. Je n'en peux plus, je hurle mon plaisir au moment où l'orgasme me frappe de plein fouet. Je suis secouée de tremblements et, dans un dernier sanglot, j'éjacule dans la bouche de ma partenaire.

Je reste un moment assise sur sa bouche, ses lèvres remuent doucement sur ma vulve, qui palpite encore. Elle m'embrasse, là entre mes jambes, tout doucement. Mes jambes n'en peuvent plus, je roule sur le côté et je m'étends sur les draps humides. Mon mari chuchote quelque chose, et la voix féminine est indistincte lorsqu'elle lui répond.

Je suis épuisée, il doit bien s'être écoulé deux bonnes heures depuis que je suis devenue aveugle et que les orgasmes se sont bousculés. J'essaie de calmer ma respiration, je frotte mes cuisses ensemble, mon clitoris crie grâce.

Dans la salle de bain attenante, la douche se fait entendre, brièvement, puis des pas dans l'escalier et la porte d'entrée qui se referme sur ma mystérieuse amante. Maintenant qu'elle est partie, je suis un peu gênée. Je vais devoir enlever ce masque et affronter le regard de mon mari. Que va-t-il penser de moi?

J'entends ses pas lourds sur le plancher, puis le lit tangue et ses doigts me retirent le bandeau. La chambre est brillamment éclairée. Nicolas est encore nu, toujours en érection. Il sourit, ses yeux sont remplis d'amour. Il m'embrasse et je goûte encore l'haleine à la menthe de mon amante.

Nous nous glissons sous les draps, il caresse doucement mon bourgeon à vif en sombrant lentement dans le sommeil. Il me connaît assez bien pour ne pas poser de question. Il sait que je suis embarrassée par ce qui vient de se passer. Mais j'ai l'esprit en ébullition. Qui était ma partenaire? Quelqu'un que je connais? Une amie? Une voisine? Est-ce possible? Aurais-je dû enlever le masque et constater par moi-même?

❧ ❧ ❧

Dans les semaines qui suivent, je recense les femmes que je connais. Forcément, ce doit être quelqu'un qui est proche, pas une simple inconnue. J'essaie d'associer les attributs physiques à ceux de mes connaissances: petits seins, longues jambes, lèvres boudeuses.

Mais j'étais aveugle et ce pourrait être n'importe qui. Chaque fois que je rencontre une amie, je guette sur son visage un signe quelconque. J'ai vainement essayé de soutirer le renseignement à mon mari mais, tout sourire, il est resté muet comme une carpe. Je ne saurai jamais qui est cette femme qui m'a fait jouir comme jamais et que j'ai mangée à pleine bouche, concrétisant mon fantasme au-delà de tout ce que j'aurais pu imaginer.

Mais lorsque je rêve à cette nuit fabuleuse, j'imagine que je retire mon masque et, chaque fois, mon amante a une identité différente, au gré de mes humeurs.

Sa revanche

Isabelle roule sur le dos. Ce n'est plus pareil, elle n'a plus l'ardeur d'antan lorsqu'elle fait l'amour. Tout ça depuis que je l'ai piégée avec cette collègue de travail, depuis que je l'ai regardée jouir grâce aux caresses d'une femme.

– Isabelle, qu'est-ce qui se passe? On dirait que tu n'as plus envie de faire l'amour avec moi...

Elle me regarde longuement, puis elle soupire bruyamment.

– Je t'en veux encore d'avoir introduit cette femme dans nos ébats.

– Tu n'as pas aimé? Tu fantasmais là-dessus... faire l'amour avec une autre femme...

– Tu l'as dit... fantasmer. Ça ne veut pas dire que je veuille réaliser mon fantasme. Tu as décidé de le réaliser pour moi, alors que j'aurais préféré qu'il demeure une idée, un rêve.

– Tu n'as pas répondu. Tu n'as pas aimé? Ce n'était pas à la hauteur de tes attentes?

Elle soupire encore et ses pointes se dressent, excitées par la discussion.

– Oui. Peut-être trop. Maintenant je me demande parfois si je ne suis pas lesbienne. Je me fais manger par une femme, et j'aime mieux ça que par mon mari. C'est pas normal. En plus, je ne sais même pas qui c'était.

Je souris, je ne le lui dirai jamais. Dire qu'elle la rencontre pratiquement toutes les semaines lorsqu'elle vient me prendre au bureau! Elle veut savoir, la curiosité la ronge, mais elle ne saura jamais.

– Bon. Qu'est-ce qu'on fait alors? dis-je dans l'espoir de remettre les pendules à l'heure.

– Je veux une revanche, dit-elle posément.

– Une revanche?

– Exactement. C'est à ton tour d'être dans le noir, dans l'incertitude, et tu dois faire ce que je demande.

– Et ça te fera sentir mieux?

– Tout à fait.

Pourquoi pas, dans le fond? Je suis ouvert d'esprit. Que peut-il m'arriver que je ne souhaite pas?

ᚱ ᚱ ᚱ

La semaine suivante, nous laissons les trois enfants aux soins de la gardienne et Isabelle me conduit dans un motel du coin, où elle a réservé une suite avec un grand lit et un bain à remous. Elle me demande de me doucher, puis elle me fait étendre sur le lit. Elle porte juste sa culotte et j'admire ses seins qui fuient sur les côtés, qu'elle prend de plus en plus de plaisir à exhiber dans des vêtements audacieux. Elle sort d'un sac une paire de menottes et me regarde, un peu embarrassée.

– Tu vas me fouetter? dis-je en souriant.

– Ce serait facile. Non, tu vas voir...

Elle m'attache aux montants du lit et me bande les yeux. Je suis livré à elle. Je sens qu'elle monte sur le lit et bientôt, elle pose le bout de son mamelon sur mes lèvres. Je le suce doucement et lorsque je viens pour mordiller la pointe, elle se retire.

Je sens que sa culotte de satin effleure ma bouche, quelques poils rebelles qui fuient du vêtement chatouillent mon menton. Je tire la langue, mais elle n'est pas assez près pour que je puisse la toucher. Je sens aussi son musc particulier où j'aime enfouir mon nez.

Finalement, elle pose sa vulve sur mes lèvres. Elle est toute mouillée et alors que je promène ma langue sur la culotte d'Isabelle, je l'entends chuchoter. Une troisième personne? Qui? Une amie? Mon cœur s'emballe. Je sais qui j'aimerais qu'elle soit, son amie qui habite mes moindres fantasmes.

Isabelle prend ma queue dans sa bouche. Je la reconnais, sa bouche est petite et ses lèvres compriment mon gland comme un étau. Elle me suce doucement, sans hâte, elle salive sur mon gland pour faciliter le glissement dans sa bouche. J'ai des crampes au ventre tellement je suis excité.

Maintenant, je sens un changement. Je suis certain qu'une autre bouche me suce. Elle est plus spacieuse, plus mouillée. Qui est-ce? Son amie portugaise, dont elle aime bien les seins? C'est ça, sa surprise ? Elle va introduire une autre femme pour me faire l'amour ? Mais je ne vois pas de revanche là-dedans! C'est juste que ce n'est pas celle que j'aurais aimée, celle qui me procure toutes sortes de sensations lorsque je la vois.

Je suis dur comme jamais. Les yeux bandés. Là, je me fais sucer par une autre que ma blonde. Son amie est la meilleure suceuse, elle excelle. Mon sang bat dans ma verge, mes couilles sont sur le point d'exploser. Elles font si mal que j'en ai mal au ventre.

– Tu veux arrêter? Tu as le choix, tu sais. Tu n'as qu'à le dire et je te détache tout de suite, dit Isabelle d'une voix chevrotante.

J'imagine Corina, l'amie d'Isabelle, qui suce ma queue comme un bonbon. Pourquoi arrêter? Isabelle sera-t-elle frustrée que j'aime mieux ça avec son amie?

– Non, c'est trop bon, réussis-je à dire entre deux halètements.

Isabelle enlève alors mon bandeau. Et je suis frappé de stupeur. Ce n'est pas Corina, l'amie d'Isabelle, mais un homme qui mange ma verge. Il est nu aussi, en érection, bien bandé. Un corps de danseur. Les cheveux longs. Et il a toute une queue, je dois l'admettre. Ma femme est debout, près du lit et sa respiration saccadée me montre qu'elle est excitée par la scène à laquelle elle assiste. Celle de ma queue profondément enfouie dans la bouche de cet homme.

– Alors tu changes d'idée? Tu peux arrêter tout de suite.

Elle m'a fait ça! Je ne peux le croire.

– Allez, dis-le. Et je te détache sur-le-champ. Il s'en va et on arrête tout.

Mais merde, il me suce comme aucune femme ne l'a fait. J'en ai mal aux couilles. Je fais non, je ferme les yeux, un peu insulté, humilié. C'est bon mais je ne veux pas venir, je ne veux pas donner satisfaction à ma femme de me voir exploser dans la bouche de ce gars.

Je sais qu'elle l'a choisi pour elle, pour le plaisir de ses yeux à elle. Un beau mec costaud, équipé comme un taureau, avec des poils blonds bouclés sur la poitrine. Une boucle d'oreille, un tatouage à la base du pénis, des pectoraux développés. Isabelle regarde sa bouche pomper mon pénis. Ses seins sont très durs et ses mamelons, étirés au maximum. L'excitation extrême lui colore les joues. Elle me regarde alors que ce gars me mange la queue.

Mais c'est impossible! Je grogne. Mes couilles sont si douloureuses. J'ai l'impression d'être dans un étau. Et je suis hypnotisé par la queue qui trône entre ses cuisses musclées. Longue et grosse, elle se balance fièrement alors qu'il suce ma verge avec une énergie peu commune. Je regarde son tatouage, ses lèvres étirées autour de mon gland brûlant. J'ai les larmes aux yeux, de rage, d'humiliation, parce que j'aime ça et qu'il me suce comme aucune femme ne m'a sucé. C'est comme s'il voulait bouffer ma queue, me l'arracher.

Je sens Isabelle qui m'observe attentivement, mais je fuis son regard. Elle déchiffre mes expressions et lorsque je suis sur le point de venir, elle tapote la cuisse de l'autre, qui relâche alors un peu mon pénis. Après quelques secondes interminables, il me reprend, m'avale au complet, suce mon gland.

Tous deux poursuivent ce manège durant une bonne heure. J'ai l'impression qu'il va me sucer toute la nuit, juste pour m'humilier davantage, comme pour me montrer qu'il peut me garder dur des heures durant.

Finalement, je n'en peux plus et je viens longtemps, on dirait que ça n'arrêtera pas. Chaque jet de sperme est accompagné d'une douleur agréable dans mes testicules. Je me décharge dans la bouche du gars et il prend tout, sans cesser de monter et de baisser la tête sur mon pénis. Je me décharge comme s'il y avait dix ans que je n'étais pas venu.

Alors que je pense que le jeu est terminé, Isabelle me montre un tube de lubrifiant. Elle en enduit la queue impressionnante du gars. Elle est vraiment énorme, surtout longue, circoncise, dotée d'un gland qui a l'air d'une grosse fraise mûre. La petite main de ma femme a l'air encore plus minuscule lorsqu'elle lubrifie cette massue. Elle le masturbe un peu, des deux mains, pour que l'huile pénètre bien. Il a aussi des couilles comme des balles de golf, très fermes, et elles n'échappent pas à l'attention de ma femme, qui les masse doucement avec le lubrifiant. Tout son sexe luit, trempé du produit.

Merde, j'ai presque envie de le masturber moi-même, je n'avais jamais pensé avant qu'une queue pouvait être belle. Et la sienne est spectaculaire.

– Tu as aussi le choix. Tu te retournes, ou le jeu se termine? me demande Isabelle.

Pas question qu'il m'encule. Jamais de mon vivant! Je ne suis pas gai, moi! Les fourmillements dans mon ventre, jusque dans le bout de mes doigts, tendent à dire le contraire. Que j'aimerais qu'il me la mette derrière! Je n'ai jamais été aussi humilié.

– Détache-moi, dis-je en tirant brusquement sur les menottes.

– D'accord. Mais avant, tu vas le regarder faire.

Et là ma femme s'agenouille par terre, s'appuie sur le lit, son visage à peine à trente centimètres de moi, ses yeux défiants rivés dans les miens. Juste l'état de ses seins me montre qu'elle est surexcitée. Elle tire sur sa culotte, la fait passer autour de ses chevilles et l'homme se poste derrière elle, un grand sourire aux lèvres. Elle me dévisage avec un air de défi, alors qu'il pose ses grosses mains sur ses reins. Je veux l'empêcher et, en même temps, je tiens à regarder.

J'observe alors qu'il tient sa grosse queue dans sa main et qu'il la guide entre les fesses d'Isabelle. Lorsqu'il l'encule, j'ai un pincement au cœur. Il s'approprie un peu de moi. Il possède Isabelle, la mère de mes enfants, dans une manœuvre totalement vicieuse.

Elle plisse un peu la bouche et les yeux lorsqu'il pousse graduellement sa queue derrière. C'est un grand format. Ça doit être douloureux, mais bientôt ses traits se tendent aussi de plaisir. Je sais qu'elle préfère de loin se faire pénétrer dans le vagin, mais elle fait ça pour me provoquer.

Il se démène, il n'y va pas avec le dos de la cuillère. Il la tient solidement par les fesses et elle se déplace de côté pour que je voie cette grosse queue entrer et sortir de son rectum. Le lubrifiant se répand tout autour, sur ses couilles aussi, et l'anus de ma femme semble s'ouvrir de plus en plus. C'est presque irréel.

Il y va avec toute son énergie, sans aucun ménagement, et ma Isabelle est secouée comme un pommier. À chaque coup de butoir, ses seins tremblent, agités par les secousses violentes de son corps. Elle mord le drap, les traits crispés, alors que ce gars l'encule jusqu'au fond. Elle grogne, de plaisir et de douleur. Et je suis hypnotisé par ce spectacle ahurissant.

Je suis jaloux de lui, qu'il puisse la satisfaire de cette manière que je n'ai jamais même pensé essayer. Et je suis surpris de lire sur le visage d'Isabelle des émotions nouvelles, un détachement. Je suis hébété de la voir abdiquer à ce nouveau plaisir. J'observe sa bouche former un *O* alors que ce gars la sodomise avec vigueur. Malgré l'orgasme, je suis toujours bandé. Je sens encore sa bouche ferme autour de mon pénis, tandis qu'il encule ma femme avec entrain.

Il bouge sans relâche et Isabelle commence à gémir. Elle aime ça, ce n'est plus pour moi, je le sais par sa gestuelle. Son visage trahit tout son abandon, sa désorientation. Elle se déplace encore et la queue du gars surgit comme un ressort de son rectum. Elle est encore bien gluante du lubrifiant. Le cul d'Isabelle reste ouvert, comme s'il attendait avec impatience le retour de cette verge.

Isabelle grimpe sur le lit et vient enfourcher mon visage. Son anus dilaté est très appétissant ainsi ouvert. J'y plonge mon nez, je le lèche, j'avale le lubrifiant. Elle agite ses fesses, me barbouille le visage de sa miction. Elle sent bon, elle goûte encore meilleur.

Et puis, Isabelle se penche un peu, le souffle court. Le gars m'enfourche aussi et il vient l'enculer juste sous mes yeux. Je suis sidéré de voir toute sa longueur disparaître dans le rectum de ma belle. Dès qu'il plonge, elle geint bruyamment. Une longue plainte aiguë, qui m'arrache un gémissement jaloux. Elle agrippe mes chevilles, elle serre si fort que je sens ses ongles pénétrer dans ma peau.

Elle émet un genre de son que j'entends pour la première fois. Les gros testicules du gars me battent dans le visage. Je monte la tête et je tire la langue sur la vulve trempée d'Isabelle. Elle coule comme un ruisseau, la queue qui pompe dans son derrière la fait mouiller plus que tout.

Invariablement, malgré ma réticence, je bouffe les testicules du gars aussi, qui cognent sur ma bouche alors que je lèche ma femme. Je ferme les yeux et je lèche encore, partout, ses fesses et sa vulve, les couilles dures et la verge qui sort du rectum de ma femme à un rythme soutenu. Et je dois admettre que c'est excitant, encore plus que de voir ma femme faire l'amour avec une autre. Je suis encore dur et Isabelle m'empoigne pour me masturber doucement.

Son amant jouit dans cette position et son sperme déborde du rectum d'Isabelle, coule sur mon visage, se répand sur son vagin, que je lèche encore à grands coups de langue. J'ai déjà goûté à mon sperme, alors quelle différence de boire celui d'un autre? Il se retire ensuite du cul d'Isabelle, encore fort bien bandé, et ma femme regarde ma bouche toute barbouillée. Elle semble ailleurs. Elle n'a pas atteint l'orgasme, mais le plaisir qui se lit ouvertement sur ses traits l'a quelque peu désorientée.

– Alors, tu ne changes pas d'idée? C'est vraiment bon, tu sais, me dit-elle d'une voix lointaine qui tremble de plaisir.

Je regarde son anus qui ne s'est pas encore refermé, encore élargi par la sodomie de ce gros membre. J'ai ce pénis sous les yeux, mouillé de sperme et du cul de ma femme. Je fais non, moins résolument.

Car je me demande comment c'est, mais ma fierté de gars m'empêche de faire le moindre pas. Je fixe la queue du gars, encore bien relevée, pleine de lubrifiant, de sperme et de ma femme. Non, je ne peux pas.

Alors Isabelle me détache et je vais essuyer mon visage, qui porte encore les traces de son éjaculation chaude et abondante. Lorsque je reviens près du lit, Isabelle et le gars sont assis. Sa queue a commencé à redescendre, mais elle est encore très surprenante, même au repos. Ma femme est très excitée, ses seins sont tendus, ses pointes partent sur les côtés. Elle est assise sur une serviette de l'hôtel, sur laquelle son rectum s'écoule tranquillement de ce que le gars y a déversé.

Je suis encore jaloux, ce petit pincement au cœur est bien présent. J'ai déjà oublié ce que Isabelle m'a fait, cette fellation imposée. Je les regarde, tous deux toujours très excités, et Isabelle me sourit. Elle a l'air détendue, mais pas encore comblée. Elle a la main posée sur la cuisses musclée du gars, près de sa queue qui à peine quelques minutes plus tôt logeait loin dans son cul. Et elle regarde la mienne, au garde-à-vous.

Je sais ce qu'elle veut, mon absolution en quelque sorte. Que je la pardonne pour cette revanche qu'elle a prise sur moi et que nous profitions tous deux encore de la présence de cet adonis que je ne connais pas. Parce qu'elle en a encore envie. Je le lis dans ses yeux. Elle veut baiser avec ce gars toute la nuit, jouer avec son gros pénis à satiété.

Et plus surprenant encore, je lis qu'elle veut que je participe, que moi aussi je profite de sa verge. Elle veut jouir, probablement plus avec lui, finir ce qu'elle a commencé, explorer ses limites. Et elle veut que je fasse de même.

– On a la chambre jusqu'à demain, dit-elle en s'allongeant sur le lit, ses seins s'aplatissant sur elle, les lèvres à quelques centimètres de la verge qui l'a sodomisée; je sais qu'elle a envie de la lécher, de se montrer vicieuse. Qu'est-ce que tu suggères? demande-t-elle.

Après une légère hésitation, je les rejoins sur le lit, en érection. Là où il y a de la gêne, il n'y a pas de plaisir! Et la nuit ne fait que commencer...

Table des matières

Rêveries, 7

Noah, 11

Nuit d'été, 21

La mariée, 33

Samedi de juillet, 51

Trois fois, 83

Florence à la crème fouettée, 117

La fille au bikini, 121

La culotte, 131

Sans dessous, 143

Fenêtre sur la ville, 159

Le spectateur, 181

Le parfait voisin, 187

Au gym, 201

La jarretelle, 209

Sa première fois, 215

Sa revanche, 229